DESCOBRINDO OS CLÁSSICOS

A PRIMA DE UM AMIGO MEU

ÁLVARO CARDOSO GOMES

editora ática

A prima de um amigo meu

Editora-chefe	Claudia Morales
Editor	Fabricio Waltrick
Editor assistente	Fabio Weintraub
Preparador	Agnaldo Holanda
Seção "Outros olhares"	Gilberto Martins
Coordenadora de revisão	Ivany Picasso Batista
Revisora	Liliane Fernanda Pedroso
Estagiária	Fabiane Zorn

ARTE

Diagramadora	Thatiana Kalaes
Editoração eletrônica	Estúdio O.L.M.
Ilustrações	Luiz Gê
Ilustração de Eça de Queirós	Samuel Casal
Pesquisa iconográfica	Sílvio Kligin

CIP-BRASIL. CATALOGAÇÃO NA FONTE
SINDICATO NACIONAL DOS EDITORES DE LIVROS, RJ

G612p

2. ed.
Gomes, Álvaro Cardoso, 1944-
A prima de um amigo meu / Álvaro Cardoso Gomes. - 2.ed. - São Paulo : Ática, 2006. (Descobrindo os Clássicos)

Contém suplemento de leitura
ISBN 978 85 08 12033-8

1. Ficção brasileira. I. Queirós, Eça de, 1845-1900. O primo Basílio. II. Título. III. Série.

05-3795. CDD: 028.5
CDU: 087.5

ISBN 978 85 08 12033-8 (aluno)
ISBN 978 85 08 12034-5 (professor)
CAE:241769 AL

2023
2ª edição
10ª impressão
Impressão e acabamento: Forma Certa

Av. Otaviano Alves de Lima, 4400 – CEP 02909-900 – São Paulo, SP
Atendimento ao cliente: 4003-3061 – atendimento@atica.com.br
www.atica.com.br

ILUSÃO E CONHECIMENTO

É sempre muito enigmática a relação que se estabelece entre um texto e seus possíveis leitores. Ambígua por sua própria natureza, pela mistura entre percepção e fantasia, a leitura pode tanto nos levar à negação da realidade e ao esquecimento de si como, em sentido contrário, propiciar-nos uma série de descobertas acerca de quem somos e de como funciona o mundo à nossa volta. Dependendo da natureza do texto e da atitude do leitor, a leitura pode constituir uma via de conhecimento ou um instrumento de alienação e autoengano.

Aqui você encontrará dois belos exemplos desse duplo papel da leitura, representado por modelos opostos de leitor. Primeiramente, conhecerá Renato, espécie de Dom Juan em crise, empenhado na conquista de uma garota um pouco diferente daquelas com quem costuma se envolver. A eleita atende pelo nome de Maria Luísa, prima de Felipe, seu melhor amigo. Para seduzi-la, Renato não poderá contar apenas com seu charme, já que Maria Luísa é do tipo cê-dê-efe e não se liga em conversa furada. Sua única chance é se revelar um aluno estudioso, aplicando-se na leitura de *O primo Basílio*, de Eça de Queirós, um dos romances adotados pelo colégio naquele bimestre.

E é justamente no romance de Eça que vamos encontrar um segundo modelo de leitor, para quem os livros não oferecem senão ilusões. Trata-se de Luísa, bela jovem pertencente à burguesia lisboeta, que gasta as tardes tediosas lendo romances açucarados e escutando as aventuras eróticas de sua amiga Leopoldina. Fútil e ingênua, impelida pela mais pura fantasia, Luísa, mulher casada, cairá nas graças de um primo sedutor, o tal Basílio, com quem terá um caso amoroso de trágicas consequências (cujos detalhes você descobrirá a seguir).

Assim, ao par adolescente Renato-Maria Luísa, vai se contrapor o par queirosiano Luísa-Basílio. Contraposição entre um amor estéril e vazio, que acarreta a destruição de Luísa, e uma aprendizagem amorosa, que faz de Renato um homem melhor. Unindo esses dois personagens, diferentes sob tantos aspectos, o interesse comum pela leitura: evasão fatal para um, fonte de ensinamentos para o outro.

Os editores

Os trechos de *O primo Basílio* que constam de *A prima de um amigo meu* foram retirados da edição publicada pela Ática na série Bom Livro (22ª edição, 9ª reimpressão, 2004).

SUMÁRIO

Para a Eliane, com amor.

• 1 •

Um livro muito chato?

Ao pegar *O primo Basílio* para ler, a primeira coisa que Renato fez foi olhar a grossura do livro. Tinha exatamente 326 páginas! Sem contar que as letras eram bem pequenas. Calculou, então, com desânimo, que demoraria um tempo enorme para ler o romance. Ainda mais se a história fosse algo do tipo que ele achasse muito chato.

Para piorar, naquela tarde fazia um calor danado. O sol batia de chapa no grande vitrô da sala.

"Como eu preferia estar agora à beira de uma piscina, batendo papo com uma garota!" Mas não, lá estava ele com o livro nas mãos, sem ânimo nenhum para começar a ler.

Com um suspiro de resignação, Renato se ajeitou o melhor que pôde no sofá, deitando-se de comprido e apoiando a cabeça no encosto. Em seguida, munindo-se de toda paciência, começou a ler:

Tinham dado onze horas no cuco da sala de jantar. Jorge fechou o volume de Luís Figuier[1] *que estivera folheando*

[1] Luís Figuier (1819-1894), médico e escritor francês, autor de livros de ciências e história ao alcance do grande público.

devagar, estirado na velha voltaire[2] *de marroquim*[3] *escuro, espreguiçou-se, bocejou e disse:*

— Tu não te vais vestir, Luísa?

— Logo.

Ficara sentada à mesa a ler o Diário de Notícias, *no seu roupão de manhã de fazenda preta, bordado a* soutache[4], *com largos botões de madrepérola; o cabelo louro um pouco desmanchado, com um tom seco do calor do travesseiro, enrolava-se, torcido no alto da cabeça pequenina, de perfil bonito; a sua pele tinha a brancura tenra e láctea das louras; com o cotovelo encostado à mesa acariciava a orelha, e, no movimento lento e suave dos seus dedos, dois anéis de rubis miudinhos davam cintilações escarlates.*

Tinham acabado de almoçar.

A sala esteirada alegrava, com o seu teto de madeira pintado a branco, o seu papel claro de ramagens verdes. Era em julho, um domingo; fazia um grande calor; as duas janelas estavam cerradas, mas sentia-se fora o sol faiscar nas vidraças, escaldar a pedra da varanda; havia o silêncio recolhido e sonolento de manhã de missa; uma vaga quebreira amolentava, trazia desejos de sestas, ou de sombras fofas debaixo de arvoredos, no campo, ao pé da água; nas duas gaiolas, entre as bambinelas[5] *de cretone azulado, os canários dormiam; um zumbido monótono de moscas arrastava-se por cima da*

---

[2] Em francês, grande cadeira de pernas curtas e encosto bastante elevado.

[3] Couro de cabra ou de bode, granulado, usado na fabricação de calçados ou para revestir poltronas e sofás.

[4] Em francês, trancinhas de seda, lã ou algodão com que se enfeitam peças de vestuário.

[5] Cortina com franjas e galões, divididas em duas partes.

mesa, pousava no fundo das chávenas sobre o açúcar mal derretido, enchia toda a sala de um rumor dormente.

Jorge enrolou um cigarro, e muito repousado, muito fresco na sua camisa de chita, sem colete, o jaquetão de flanela azul aberto, os olhos no teto, pôs-se a pensar na sua jornada ao Alentejo[6]*. Era engenheiro de minas, no dia seguinte devia partir para Beja, para Évora, mais para o sul até S. Domingos; e aquela jornada, em julho, contrariava-o como uma interrupção, afligia-o como uma injustiça. Que maçada por um verão daqueles! Ir dias e dias sacudido pelo chouto*[7] *de um cavalo de aluguel, por esses descampados do Alentejo que não acabam nunca, cobertos de um rastolho*[8] *escuro, abafados num sol baço, onde os moscardos zumbem! Dormir nos montados, em quartos que cheiram a tijolo cozido, ouvindo em redor, na escuridão da noite tórrida, grunhir as varas dos porcos! A todo momento sentir entrar pelas janelas, passar no ar o bafo quente das queimadas! E só!*

Tinha estado até então no ministério, em comissão. Era a primeira vez que se separava de Luísa; e perdia-se já em saudades daquela salinha, que ele mesmo ajudara a forrar de papel novo nas vésperas do seu casamento, e onde, depois das felicidades da noite, os seus almoços se prolongavam em tão suaves preguiças!

Nem bem tinha lido pouco mais de uma página, Renato deu outro suspiro e exclamou:

— Pô! Que pé no saco!

---

[6] Região do sul de Portugal, caracterizada pela aridez e pelo calor.

[7] Trote lento e muito incômodo de um cavalo ou outra montaria.

[8] O mesmo que restolho, palha que sobra da colheita.

Essa explosão de mau humor de Renato se explicava, pois ele havia se aborrecido com o modo de o autor narrar. O fato era que Eça de Queirós começava o romance desprezando a ação, o movimento, e apresentando uma simples e monótona cena doméstica. Num estilo lento, minucioso, descrevia o cotidiano de um casal logo após o almoço: o marido, Jorge, lia um livro, enquanto a mulher, Luísa, um jornal.

E, em vez de entrar logo na história, o autor descrevia a mulher, utilizando-se de um excesso de detalhes: a cor do cabelo e da pele, o feitio do rosto, o tipo de tecido do vestido. Depois, em dois grandes parágrafos, descrevia a sala, falava do calor de julho e do desgosto do marido, que ia viajar para uma região de Portugal de que Renato nunca tinha ouvido falar e que, para sua imaginação, devia ser longe e quente para diabo.

"Puxa vida", pensou Renato. "Por que o Eça de Queirós não vai direto ao assunto, em vez de ficar descrevendo, descrevendo?" Contrariado, ele pôs o livro de lado, fechou os olhos, bocejou e, durante alguns momentos, deixou a cabeça vagabundear.

De imediato, veio-lhe à mente a imagem de Maria Luísa: uns cabelos loiros, curtos, olhos castanhos, atrás dos óculos, a pele clara, acetinada, e duas covinhas, muito engraçadas, uma em cada lado da face. Ela era do tipo *mignon*, com um corpinho delicioso, além de um sorriso que deixava qualquer um desarmado, ele concluiu.

Um ar de felicidade desenhou-se no rosto de Renato, enquanto ele ia recordando outros detalhes interessantes da garota: o jeito de ela andar, de falar... Mas, não demorou muito, ele voltou a fechar a cara, quando lembrou que era por causa dela que tinha de ler o livro.

Como se tivesse se resignado com esse fato, Renato abriu novamente *O primo Basílio* e continuou a leitura. Para seu desgosto, chegou à conclusão de que a história, em vez de melhorar, ia piorando. Isso porque vinham mais e mais descrições.

Primeiro, a de Jorge, que, segundo o narrador, tinha a "barba curta e fina, muito frisada"; depois, a dos móveis e objetos de decoração da sala, item por item.

Não bastasse isso, Eça de Queirós descrevia o pai de Jorge, que "tinha a fisionomia redonda, o olho luzidio, o beiço sensual"; e a mãe, de nome Isaura: "era uma senhora alta, de nariz afilado, muito apreensiva; bebia ao jantar água quente; e ao voltar um dia do lausperene da Graça, morrera de repente, sem um ai!".

— "Lausperene"?! — bradou Renato. — Que droga é essa?

É bem verdade que, nas páginas anteriores, ele já se deparara com palavras complicadas e, aqui e ali, o nome de um escritor desconhecido. Mas como era possível entender o sentido de tudo, nem se dera ao trabalho de ler as notas de rodapé ou mesmo de consultar um dicionário.

Mas agora precisava saber o que era "lausperene". Desceu os olhos até a nota e leu: "Exposição do Santíssimo Sacramento aos fiéis numa capela".

— Ah, então a velha bateu as botas voltando da igreja... — disse, balançando a cabeça, e depois completou, como que desabafando: — Pô, Eça, você tinha que usar a palavra "lausperene" só pra me encher o saco, né?

Voltou a ler, mas, quando o narrador começou a falar do passado de Jorge, foi aí que Renato embatucou de vez, pois vinha uma enfiada de palavras estrangeiras, de nomes de escritores de que ele nunca tinha ouvido falar. Ficara sabendo então que Jorge tinha herdado o gênio da mãe e que, por isso mesmo, era um homem caseiro, bem diferente dos colegas de escola:

De sua mãe herdara a placidez, o gênio manso. Quando era estudante na Politécnica, às oito horas recolhia-se, acendia o seu candeeiro de latão, abria os seus compêndios. Não frequentava botequins, nem fazia noitadas. [...] Ele nunca fora sentimental; os seus condiscípulos, que liam Alfred de Musset *suspirando e desejando ter amado* Margarida Gautier, *chamavam-lhe proseirão, burguês; Jorge ria; não lhe faltava um botão nas camisas; era muito escarolado; admirava Luís Figuier,* Bastiat *e* Castilho, *tinha horror a dívidas, e sentia-se feliz.*[9]

Realmente, aquele Eça de Queirós era um pé no saco, ele pensou.

Cheio de tudo aquilo, Renato jogou o livro no chão e ficou curtindo sua raiva. Por fim, se levantou e disse, irritado:

— Maria Luísa, quer saber de uma coisa? Vai te catar!

[9] Alfred de Musset (1810-1857), poeta francês romântico, autor de *Os caprichos de Marianne, A confissão de um filho do século* etc.; Margarida Gautier, personagem de *A dama das camélias*, romance romântico do escritor francês Alexandre Dumas Filho (1824-1895); *escarolado*: asseado; Claude Frédéric Bastiat (1801-1850), economista francês; Antônio Feliciano de Castilho (1800-1875), poeta romântico português, autor de *A noite do castelo, Os ciúmes do bardo* etc.

• 2 •

Um garoto chamado Renato

A esta altura, meu caro leitor, você deve estar intrigado com algumas questões. Entre elas, as seguintes: quem é essa tal Maria Luísa? Por que o Renato tinha que ler *O primo Basílio* por causa dela?

Que Maria Luísa seria professora dele, é muito improvável... Mas acredito que, antes de responder a essas questões, o melhor seria falar um pouco de nosso herói. Só assim será possível saber quem era Maria Luísa, como ele a conheceu e por que começou a ler o romance de Eça de Queirós por causa dela.

Renato é um garotão de dezesseis anos, alto e forte, que mora no bairro do Tatuapé. Se alguém prestar atenção só em seu físico, pensará que ele é um pouquinho mais velho, mas, se olhar em seus olhos e ouvi-lo falar, perceberá que é ainda um criançāo. É daí talvez que venha o seu charme. Impossível não gostar dele logo à primeira vista.

Muito amigo de seus amigos, praticante de esportes — futebol de salão, basquete, vôlei, surfe etc. —, divertido, sensível, dá a impressão de sempre estar cem por cento de bem com a vida. Mas pensar assim é um engano: de vez em quando, ele não sabe o que quer. À toa, à toa, fica descontente consigo próprio e, quando isso acontece, sente-se a pior pessoa do mundo. Ou seja: é muito fácil sua autoestima entrar em baixa. Aí, só lhe resta procurar Alice. Alice? Quem é Alice? Alice é casada com seu irmão mais velho, o Alberto. Portanto, sua cunhada, a quem ele adora e a quem confia todos os sentimentos.

Pois bem, o grande problema na vida de Renato era o seguinte: apresentava uma face para as pessoas, mas escondia, mais ou menos secretamente, uma outra face diferente. Não que fosse falso ou hipócrita, mas acontece que, na maioria das vezes, se deixava levar pela onda (como muitas vezes acontece com os adolescentes).

Vem daí que nem sempre fazia o que realmente desejava ou pensava, porque, de costume, fazia aquilo que agradava à "galera". Principalmente quando o assunto era o amor.

E o que mais era comum entre os da "galera", no que diz respeito ao amor? Como a maior parte de seus amigos e colegas, Renato tinha um comportamento bastante superficial com as garotas. Ficava com uma, ficava com outra — mas sempre sem compromisso. Coisa mais comum era vê-lo numa festa com uma bela garota e, no dia seguinte, encontrá-lo num barzinho com outra.

Como era boa-pinta, bom papo etc., não tinha dificuldade em conseguir a "mina" que quisesse. Costumava chegar numa garota desconhecida que o atraísse e dizer, muito à vontade:

— Oi, gata, de onde te conheço?

Mesmo que ela dissesse, meio malcriada, que "de lugar nenhum", ele não se acanhava, ia em frente, deixando a conversa correr, falando sem parar. A tática parecia infalível. Logo, pegava o telefone da garota, combinava um encontro numa balada, num barzinho, num *show*. E lá estava ele de garota nova. E a nova, invariavelmente, mais bonita que a anterior.

Falta de garotas para ele, portanto, jamais era um problema. Talvez, excesso de garotas, então? Não acredito que isso seja o motivo pelo qual, de vez em quando, Renato fica descontente consigo próprio. O que é que o deixa triste, insatisfeito, sem vontade mesmo de sair de casa num belo fim de semana?

O mais provável é que, no fundo, no fundo mesmo, Renato sentisse falta de um amor mais duradouro. Bem, é claro, ele curtia muito essa história de chegar numa garota desconhecida e usar de toda manha para conquistá-la. Isso era muito desafiador, mas, ao mesmo tempo, sem que tivesse consciência disso, era também pouco estimulante.

Não parece um paradoxo o que estou dizendo? Pois é, Renato vivia um paradoxo dentro de si. Adorava ficar com uma garota, porque sabia que, logo depois, podia ficar com outra diferente. Mas, lá dentro dele, bem no fundo, alguma coisa dizia que também seria muito bom continuar com uma mesma garota. Sobretudo com uma garota a quem ele amasse de verdade.

Então, por que, em vez de só "ficar", ele não procurava namorar de fato uma garota? Talvez ele não tivesse encontrado a garota de seus sonhos. E essa garota bem que poderia ser a Maria Luísa. Mas, antes de ter encontrado Maria Luísa, é preciso dizer que ele conheceu a Cláudia.

• 3 •

Mas que gata!

No final das férias de janeiro, Renato foi ao aniversário da Mary, ali na rua Vilela, no Tatuapé. Quando entrou no salão de festas e viu uma desconhecida conversando com Betão, quase caiu de costas.

Isso aconteceu porque Cláudia era belíssima. Bem alta (não era à toa que jogava vôlei na equipe do colégio Miguel de Cervantes), morena, de olhos verdes, a pele bronzeada. E um corpo que fazia qualquer um se voltar, quando ela passava com seu andar de gata siamesa. Tinha os lábios cheios e os dentes, muito brancos e iguais. Ao sorrir, cativava logo de cara quem dela se aproximasse.

Renato quis logo chegar na Cláudia, mas Betão não saía do lado dela. Procurou então a Mary. Depois de beijá-la e dar-lhe os parabéns, pediu a ficha da garota desconhecida:

— Ei, quem é aquela gata?

— Gata? Que gata? — Mary perguntou, fazendo-se de desentendida.

Renato apontou o queixo na direção da garota.

— Ah, a Cláudia? — Mary sorriu maliciosamente.

— Ela não é daqui do pedaço, né?

— Não, é do Morumbi. É uma amiga da minha prima Tânia.

Mary deu uma risada e completou:

— Por que quer saber? Está interessado nela?

— Quem é que não ficaria interessado numa gata como ela?

— Ah, é? Grande coisa...

— Não vai me apresentar a Cláudia? — foi a vez dele perguntar com malícia.

— Eu? Se vira, cara — disse Mary, voltando-lhe as costas.

O leitor não se espante com a atitude de Mary. Ela era uma das garotas que tinham ficado com o Renato e a quem ele havia deixado, trocando-a pela Lívia. E isso Mary não perdoava. No fundo, ela gostava bastante do Renato e havia criado a ilusão de que a relação deles seria mais do que simplesmente ficar.

Mas, como já disse, Renato, não por maldade ou por desprezo das garotas com quem ficava, via uma relação amorosa como um simples jogo, uma brincadeira. E, assim, de garota em garota...

• 4 •

Mais uma conquista

Renato, ao ouvir a resposta de Mary, deu de ombros e disse para si mesmo:

— Pode deixar que eu me viro.

E assim pensou logo em chegar na Cláudia e se apresentar, mas havia um problema. É que Betão não saía do lado dela. E esse Betão era uma das raras pessoas com quem Renato não se dava no colégio em que estudava, o Santo Antônio de Lisboa.

É claro que Betão não tinha com as garotas o mesmo sucesso que Renato. Talvez porque, apesar de sua aparência, fosse um tolo. Ria por qualquer motivo (razão por que o apelidaram de "Grandão Bobo") e, muito mentiroso, gostava de contar vantagem. Coisa mais comum era vê-lo cercado de um bando de tontos, contando uma história de valentia, no mínimo inverossímil:

— Os trombadinhas foram chegando, eram uns vinte... Disseram que queriam meu relógio e o tênis. A galera tava toda armada de pau e correntes. Abaixei e fingi que ia tirar o tênis. Os trombadas vacilaram. Então, dei uma voadora no peito do primeiro e nem esperei o cara levantar. Acertei um pontapé na cara dele e logo virei o corpo, pegando um outro...

A mesma coisa acontecia com as garotas. Ele chegara ao cúmulo de ter contado sobre um fim de semana em que havia saído com uma artista da tevê. O Renato, que estava por perto aquela vez, não se conteve. Interrompendo a narrativa do outro, disse com um sorriso desafiador:

— Pô, cara, deixa de ser mentiroso. Duvido que você tenha saído com essa mina.

— Mentiroso, eu? Você tava lá por acaso? — Betão perguntou, irritado.

— Não, não estava, não, mas acontece que, nesse mesmo dia, nessa mesma hora, vi a garota na tevê acompanhada do maridão.

Na verdade, Renato nem tinha visto a tal da garota na tevê, mas disse isso porque sabia que, como de costume, Betão estava contando mentira. E, para desmascarar um grande mentiroso, uma mentira daquelas valia outra mentira.

Só sei que, pego em flagrante, Betão foi motivo de caçoada de toda a turma. Furioso, sentiu uma vontade imensa de dar umas porradas no Renato. Mas ficou só na vontade, porque sabia que o cara era bom de briga.

A partir daí, um não tolerava mais o outro, o que os levou a entrarem em disputa por qualquer coisa. Nas partidas de futebol de salão, ficavam sempre em times opostos. E era pancada para todo lado. Ora um saía vitorioso, ora, outro. E com as garotas acontecia algo parecido. Bastava aparecer uma "mina" nova e bonita no pedaço, para a disputa começar. Mas, nisso, Renato na maioria das vezes saía ganhando. Não sendo um tonto como Betão, que só abria a boca para falar bobagem, conquistava quase todas as garotas que quisesse.

Portanto, quando Renato viu o Betão conversando tão animadamente com aquela belíssima morena, sentiu a coceira da disputa. E disse para si mesmo que faria de tudo para ficar com a Cláudia, apesar de não saber qual era a dela.

E, assim, desprezando uma ou outra garota que o olhava com insistência, ficou de tocaia, esperando a hora certa para dar o bote. E essa hora veio, quando reparou que o Betão deixava a companhia, para ir ao banheiro.

Sem perda de tempo, correu até ela e disse:

— Oi, Cláudia.

— Ué, como sabe meu nome? — ela perguntou, dando um belo sorriso.

— Eu sei das coisas...

— Por exemplo? — ela desafiou.

— Que você mora no Morumbi e que é amiga da Tânia, a prima da Mary.

Pouco depois, Betão voltou do banheiro e encontrou Cláudia acompanhada. E justo de quem? Ele ficou bastante contrariado. Ainda mais porque o Renato, com o maior cinismo do mundo, disse:

— Você conhece o meu amigo Betão?

Cláudia, que estava achando graça de alguma coisa que Renato havia lhe contado, sem parar de rir, disse:

— Ah, a gente já se conhece.

Tolo como era, Betão julgou que estivessem caçoando dele. Só podia ser uma armação do Renato para expô-lo ao ridículo, pensou. Para sua raiva, via-se passado para trás. Isso porque havia pensado que aquela garota espetacular já era dele.

Para aumentar sua decepção, enquanto ficava ali do lado com cara de tonto, eles conversavam animadamente. Até que se mancou e, furioso, bateu em retirada, deixando o campo livre para o outro.

Como estivesse uma zoeira só no salão, Renato convidou Cláudia para ir até o jardim. Sentaram-se num banco atrás de uns arbustos. Descontraída e parecendo já muito interessada nele, ela não parou mais de falar. E era o tipo de papo que não interessava nada, nada ao Renato. Cláudia falou do carrão que o pai havia comprado, dos *shoppings* aonde costumava ir, do *point* que gostava de frequentar em Maresias etc., etc.

— Papai trocou a Pajero pela Cherokee, agora, mamãe queria ficar com a Pajero. Eu concordo com o papai, a Cherokee é muito mais carro. Precisa ver que barato, a gente subindo aquele morro de Ilhabela pra ir até a praia de Castelhanos...

Renato já estava com a cabeça cheia de tanto que ela falava. Não bastasse isso, ainda por cima a garota ria por qualquer motivo. Um riso estridente e alto que chamava a atenção de todo mundo e que terminava sempre com a seguinte observação:

— Que barato, cara!

Resumindo: naquela noite em que ficou com Cláudia, Renato chegou à conclusão de que ela era chata. Muito chata mesmo. Mas, como ele pensava em só ficar com ela naquela noite, tudo bem. Ainda mais porque havia aprontado mais uma para seu rival Betão.

Terminando a festa, quando foi se despedir da menina, disse apenas:

— Tchau, gata.

Ela o abraçou com força e o beijou:

— Gato, quando é que a gente vai se ver de novo?

"A gente se ver de novo? Ficar outra vez com esta chata?", pensou ele, e sua primeira ideia foi desconversar. Mas a garota insistiu tanto que ele acabou dando a ela o telefone.

Voltando para casa, Renato refletiu que aquela talvez fosse a garota mais linda que conhecera. Em compensação, era também a mais chata. Só de recordar o jeito de ela rir... Parecia uma hiena. E a mania que tinha de falar de um modo todo enjoado:

— Ai, Natinhoooô.

• 5 •

Que grude!

Era domingo de manhã, lá pelas nove horas, quando Renato foi sacudido por sua irmãzinha, a Bia:

— Nato, Nato...

Coisa que ele mais detestava era ser acordado assim logo pela manhã. Ainda mais no domingo, ainda mais pela Bia. Que mania da garotinha!

— Pô, não enche, Bia. Vai lá ver se tô na esquina — disse com raiva.

— Telefone pra você.

— Fala que tô dormindo.

— É da sua namorada.

A coisa que Bia mais gostava de fazer era pegar os recados das garotas e passar ao irmão. Conhecia o nome de todas e se divertia muito com aquela história de ele ficar com uma, ficar com outra.

— Namorada? Que namorada?

— A nova.

— Que namorada nova?

Como o leitor pode ver, Renato já havia esquecido quase completamente da Cláudia.

— A Cláudia.

Renato, ainda meio sonolento, bocejou, coçou a cabeça e disse:

— Fala pra ela que depois eu ligo.

— Não adianta, já falei. Ela quer falar com você agora.

— Pô, que saco — ele disse, estendendo o braço para pegar o telefone.

Quando foi atender, reparou que a irmãzinha estava ali do lado, muito interessada em ouvir a conversa.

— Ei, coisa, vai embora.

Bia deu de ombros. Não importava, ela podia ouvir tudo da extensão...

— Alô — disse Renato, dando outro longo bocejo.

— Oi, amor. Ainda tá dormindo?

E, sem esperar que ele respondesse, logo perguntou:

— Você pensou em mim?

Cláudia começou a falar sem parar e falou tanto que ele começou a ficar enjoado. E, quando ela afinal perguntou se eles iam se encontrar naquele dia, e ele respondeu que tinha um compromisso, a garota disse com aquela voz muito enjoada:

— Natinhoooô...

Renato, que não aguentava mais aquela zoeira no ouvido, para encurtar a conversa, acabou se encontrando com a Cláudia mais à tarde. E, na segunda-feira, sempre recebendo os recados, as ligações que não queria receber, falou com ela ao telefone; na terça, idem. Na quarta, teve que ir vê-la no Morumbi. E saíram juntos na sexta e no sábado.

"Meu Deus, como ela é chata!", pensava Renato depois de cada encontro. "E, ainda por cima, burra." Ele chegara a essa conclusão quando, na sexta, conversando sobre lugares no mundo onde não gostariam de viver, ela veio com essa:

— Eu não queria morar naquele lugar... como é mesmo o nome?

— Que lugar, Cláudia?

— Ah, sei lá, acho que fica na África...

— Por acaso, é a Nigéria?

— Não, o nome termina em ão... Ah, já sei! Afeganistão.

— Você tem certeza mesmo que o Afeganistão fica na África?

— Sei lá, deve ser na África. Um lugar horrível. Tem aqueles caras de turbante escondidos nas cavernas, jogando bomba por aí... Sabia que lá as mulheres têm que usar um saco na cara e que não podem falar com ninguém?

"Ai, que vontade de mandar você pro Afeganistão", pensava Renato. E, se ele sentia tanta vontade assim de mandá-la para o Afeganistão, por que continuava com ela? Não era melhor cair fora?

Mas foi ele tentar dizer que não queria mais ficar com ela, que Cláudia começou a chorar. E coisa que Renato não podia suportar era ver uma mulher chorando. E assim adiou a separação.

— Natinhoooô — ela se dependurava nele, agradecida.

Então, lá estava ele amarrado, contra a vontade, à Cláudia. Nem podia mais sair com os amigos, ir numa balada, num *show*. Pensar em ficar com uma garota nova, então, nem sonhando! A Cláudia não desgrudava dele. E, quando sabia de algo ou desconfiava de alguma coisa, era um inferno. Esperneava, chorava, sapateava:

— Me contaram que, ontem à noite, você ficou o tempo inteiro conversando com aquela galinha da Sílvia!

Puxa vida, como ela havia descoberto que ele tinha ficado com a Sílvia na festa da Marta?

— Eu, doente em casa, e você galinhando por aí!

— Que Sílvia o quê! Quem foi que te contou essa mentira?

Depois, vinha a reconciliação, em que ele tinha que prometer muita coisa que sabia que não teria como cumprir. Mas prometia, apenas para ela deixar de encher. A garota grudava, beijava-o repetidas vezes e dizia aquilo que o deixava profundamente irritado, com sua voz melosa:

— Natinhoooô.

Para aumentar ainda mais sua raiva, depois disso, Bia começou a procurá-lo para dar os recados, dizendo, de propósito para irritá-lo:

— Natinhoooô, telefone pra você.

• 6 •

Garota nova na escola

Renato estava nesse enrosco todo com a Cláudia, jurando todos os dias que iria dar o fora nela, quando conheceu Maria Luísa. E foi assim que sua vida entrou em parafuso.

Era o início do ano letivo no Santo Antônio de Lisboa. Como sempre acontece nas escolas, o primeiro dia de aula é a maior zorra. Todo mundo querendo saber de todo mundo, como foram as férias, os lances legais, etc. e tal.

— E aí, cara? Foi surfar em Maresias? — perguntava o Jefferson, batendo na mão do Neto.

— Conta pra mim, Fernanda — Selma provocava, dando pulinhos —, verdade que você tá ficando com o Dado?

Beijinho pra cá, beijinho pra lá entre as garotas, entre as garotas e os garotos. E aquela zoeira, a turma jogando conversa fora, combinando programas, como ir ver um *show* de não sei quem ou ir numa balada.

Foi então que Renato viu Maria Luísa entrar na sala. Como sempre costumava fazer quando aparecia uma garota nova, pôs-se a examiná-la. Reparou que era pequenina, loira, usava óculos e tinha covinhas na face. Com os braços carregados de livros e cadernos, olhava para um lado, para o outro, parecendo preocupada em achar um bom lugar para sentar.

À primeira vista, ele avaliou que Maria Luísa não tinha nada de especial. Mas não demorou muito, sem saber por que, sentiu-se atraído por ela. Isso o fez observá-la com mais cuidado.

E, assim, chegou à conclusão de que, ao contrário de seu juízo inicial, ela era uma graça. Talvez fosse por causa da sua timidez, do seu ar de inocência, ou por outra coisa qualquer que, naquele momento, não sabia identificar.

Então, como era seu costume quando sentia esse tipo de atração por uma garota, resolveu se apresentar. Aproximando-se dela, disse:

— Oi, sou o Renato.

Ela levantou a cabeça e sorriu:

— Oi, sou a Maria Luísa.

Quando ele ia dizer mais alguma coisa, o professor Tadeu entrou e, com aquele seu jeito estabanado, foi logo botando ordem na classe:

— Todo mundo sentado, chega de zona.

Como alguns alunos ainda continuassem conversando, ele insistiu, batendo palmas:

— Cambada! Depois, no intervalo, vocês continuam os papos interessantíssimos sobre as férias. Agora, vamos tratar de trabalhar!

E, sob protestos dos mais variados, o professor Tadeu começou a encher a lousa de fórmulas. Era sinal de que as férias tinham mesmo acabado.

No intervalo, Renato se levantou. Queria alcançar Maria Luísa antes que ela saísse, mas Zé Luís veio até ele pedir de volta um CD do *Metallica* que lhe havia emprestado. E lá foi ele procurar na mochila, jogando todos os "bagulhos" no chão. Além de ter descoberto que tinha esquecido o CD do amigo em casa, ainda viu que Maria Luísa havia saído da sala.

Chegando no pátio, começou a procurá-la e deparou com ela dando papo pro Felipe. "Que roubada!", ele pensou, "então, a mina é namorada do Felipe...". Mesmo assim, resolveu arriscar. Aproximou-se deles e, dando uma gravata em Felipe, disse:

— Oi, truta, como vai essa força?

— *Brother*!

De brincadeira, como sempre faziam, trocaram socos. Eram grandes amigos. Jogavam na mesma equipe de futebol de salão, frequentavam as mesmas baladas e, quando podiam, costumavam surfar em Maresias.

— Conhece a minha prima? — disse Felipe, apresentando-o a Maria Luísa.

"Ah, então, ela era prima!", ele pensou, aliviado e dizendo, logo em seguida:

— Estamos na mesma classe.

— Então, Maria Luísa, você já ganhou um amigo. O Renato é chapinha meu. Um cara legal.

Renato e Felipe puseram-se animadamente a falar das férias, das festas, das baladas. Enquanto isso, muito séria, Maria Luísa os ouvia sem dizer uma só palavra. Até que, de repente, Felipe disse algo que deixou Renato frio:

— Escuta, cara, ouvi dizer que você tá ficando com uma garota sensacional...

— Eu? Quem que disse isso?

— O Fefa.

— Ah, ele deve estar falando da Cláudia. Só fiquei uma noite com ela — Renato mentiu todo sem graça, enquanto observava Maria Luísa com o canto do olho.

— Ele disse que a mina é uma coisa. Até parece uma artista da tevê. Aquela da novela das seis, como é mesmo o nome dela...

— Não é bem assim.

— Não foi o que o Fefa falou. Ele disse que...

Impaciente, Renato interrompeu o amigo:

— Ô, Felipe, aonde é que você vai este sábado?

Naquele instante, deu o sinal. Ele voltou para a sala de aula, acompanhando Maria Luísa, que, ainda intimidada, não disse uma só palavra. E, coisa estranha: Renato também parecia muito intimidado, quando o normal já seria ele convidá-la para sair naquele fim de semana mesmo.

Será que a razão de sua timidez vinha do fato de ela ter descoberto que ele tinha namorada? Não, não podia ser, sobretudo porque havia mentido em tempo. Todo confuso, Renato nem conseguiu prestar atenção direito à aula. Volta e meia, olhava para a nova colega. Mas ela, muito séria, ouvia atentamente os professores, consultava o livro ou fazia anotações no caderno.

Na hora da saída, foi atrás dela, mas Felipe pegou-o pelo braço e o convidou para ir ao McDonalds. Como aquele era seu melhor amigo, não ia deixá-lo na mão.

Foi então ao McDonalds, mas, além de deixar o sanduíche pela metade, ainda não prestou atenção alguma ao que Felipe contava. De vez em quando, via-se distraído, pensando na garota.

— E você? O que fez de legal nas férias?

— Eu? Sei lá, dei umas bandas por aí.

O companheiro sorria e disse, com admiração:

— Umas bandas, né? E, em cada lugar, dando um cato numa mina diferente...

• 7 •

Uma cê-dê-efe?

No outro dia, Renato acordou com uma sensação estranha. Em vez de enrolar para sair da cama, a ponto de deixar a mãe louca, levantou-se rápido, preparou a mochila, tomou café e correu para a escola. Chegando lá, ao ver Maria Luísa sentada a um canto no pátio, com um livro nas mãos, foi ao seu encontro.

— Oi — ele disse.

— Oi — ela sorriu e voltou a ler.

— Estudando? — perguntou, meio surpreso, já que estavam apenas no segundo dia de aula.

— Ah, estou vendo umas coisas que o professor Tadeu explicou ontem.

— Esse Tadeu é um pé no saco — Renato disse isso e imediatamente se arrependeu, porque ela o olhou daquele modo inocente e observou:

— Não sei por que está falando isso.

— Ah, o cara não para de dar matéria...

— Mas essa não é a obrigação de um bom professor?

— Pode ser, mas já no primeiro dia de aula?

— Que é que tem que seja no primeiro dia? Aula é aula, né?

"Ainda por cima, uma cê-dê-efe", pensou Renato, com desânimo.

Ao entrar na classe, refletiu que Maria Luísa talvez não tivesse muita coisa a ver com ele. Mesmo assim, sem saber por que, ficou a maior parte das aulas pensando nela. De vez em quando se surpreendia olhando para a garota, para seu perfil suave, para seu corpo pequeno, bem-feito. E admitia que ela o agradava bastante.

Quando a aula terminou, ao tentar alcançá-la, muito afobado, esbarrou em Betão. Justo no Betão!, que se voltou, encarando-o com raiva:

— Qualé, cara?

Renato viu que Maria Luísa já deixava a classe. E o idiota postado à sua frente!

— Esquece, cara, foi sem querer.

— É bom que tenha sido sem querer porque senão...

O sangue subiu à cabeça do Renato, que, sem pensar no que fazia, deu uma cabeçada no peito do Betão. Ele recuou, tropeçou numa carteira e caiu no chão. Furioso, levantou-se e veio com tudo para cima do Renato.

Nisso, chegou o bedel, que separou os dois com uma bronca:

— Não quero confusão aqui na sala!

— Te pego lá fora, imbecil — disse Betão.

— Vai pegar coisa nenhuma — voltou a dizer o bedel. — Quero ver os dois indo pra casa. Senão vai ter rolo na diretoria.

• 8 •

Começando a gamar

Naquele dia, Renato voltou para casa num estado de espírito diferente do habitual. Distraído, andava pela rua pensando por que estava se amarrando numa garota que mal conhecia. Aqui para nós: será que o que tinha acontecido com ele não poderia ser aquele negócio de olhos nos olhos? É o que acontece, caro leitor, com alguns felizardos. Muitas vezes, o acaso permite que eles encontrem seu par ideal num vislumbre, num rápido momento. E, sem saber o porquê, apaixonam-se perdidamente.

Seria o caso de Renato?

Pode ser. Mas ele mesmo nem desconfiava de que talvez fosse seu caso. E, como não entendesse o que se passava consigo, ia andando e falando sozinho:

— Pô, nem conheci a garota direito e tô que nem bobo... E, por falar nisso, nem é uma garota especial. A Cláudia é muito mais linda...

Mas o que o havia atraído nela? Seu ar inocente e tímido? A sua doçura? O seu jeito discreto, muito diferente do da Cláudia? Aqueles olhos que pareciam sorrir por detrás dos óculos? O seu corpo pequeno, bem-feito? Definitivamente, ele não sabia explicar.

— Tô ficando maluco... Acho que a Cláudia tá enchendo tanto que...

De repente, sem que esperasse, alguém lhe deu um empurrão por detrás. Devia ser o maldito do Betão! Louco de raiva, Renato se equilibrou, ao mesmo tempo que se voltou, com o braço já preparado para dar um soco.

Não, não era o Betão. Era o Felipe, que ria sem parar.

— Qual é a tua? Tá doidão, *brother*? Falando sozinho?

Todo sem graça, Renato procurou se explicar:

— Tava pensando numas coisas.

— Falando em pensar, vai na festa na casa da Vânia?

Sem responder à pergunta do amigo, passou pela sua cabeça pedir o telefone da Maria Luísa. Mas se conteve a tempo e disse outra coisa:

— Sei lá, acho que vou.

— Vê se vai. Assim, conheço a garota com quem você tá ficando.

No dia da festa, quando Renato entrou acompanhado da Cláudia, não houve quem não olhasse para ela. A garota estava realmente deslumbrante. Usava um vestido preto, muito curto, decotado, e andava como se soubesse que todos os olhos estavam fixos nela.

Renato, que no início se sentia muito vaidoso ao tê-la consigo, ficou todo sem graça, quando reparou que Maria Luísa também estava na festa. Por causa disso, quis fazer de tudo para não ser notado. Mas essa sua atitude era inútil. Como passar despercebido com aquela garota deslumbrante a seu lado?

Depois, ele pensou que talvez fosse bom que estivesse ali com a Cláudia. Acontecia que as garotas, ao vê-lo com ela, não tiravam os olhos dele. Talvez para disputá-lo, como se tentassem mostrar que eram tão bonitas e atraentes quanto a bela morena.

Muito confiante nesse seu raciocínio, acreditando que Maria Luísa logo estaria de olho nele, pôs as mãos nos ombros da namorada, beijou-a, disse-lhe coisas ao ouvido. Certamente, uma bobagem, porque ela começou a rir e disse:

— Ai, Natinhoooô. Que barato!

E, disfarçadamente, ele olhou na direção de Maria Luísa, para ver a reação dela. Mas, para sua decepção, a garota parecia indiferente. Talvez intimidada por não conhecer quase ninguém, permanecia ao lado do Felipe. Quando o primo a deixou, sentou-se ao lado de uma colega da classe e ficou ali conversando.

Renato passou a desejar que estivesse sozinho. Mas, não, estava com aquela tagarela do lado que não parava de falar. E sobre um assunto pelo qual não tinha o mínimo interesse.

— Você não acha, Natinho?

— Sim, sim — disse distraído, os olhos voltados para onde estava Maria Luísa.

— Aí, eu falei pra Teresa que ela tava errada, porque ela tava por fora mesmo. Sabe o que ela teve a cara de pau de falar?

Mas Renato já estava em outro mundo, de maneira que só foi prestar atenção ao que Cláudia dizia quando ela o pegou pelo braço, sacudiu-o e perguntou, intrigada:

— Hei, que tanto você olha praquele canto?

— Nada, não.

— Você não tava prestando atenção no que eu falei.

— Estava, sim.

— Então, que foi que eu disse?

— Bem, você falava sobre aquele negócio do *shopping*...

A garota fechou a cara porque evidentemente o assunto era outro.

— Pra quem que você tá olhando?

— Pra ninguém, Cláudia.

— Você tá olhando pra alguém. Eu vi.

Renato se encheu de vez e disse, nervoso:

— Pô, você quer parar de pegar no meu pé?

Não deu outra, a menina fez beicinho e aquela cara de choro enjoada que o deixou mais irritado ainda.

— Natinhoooô...

"Legal", ele pensou, "agora é que me livro desta chata."

— Vamos lá fora um pouco — ele disse, puxando-a pela mão.

Na calçada em frente ao prédio, Renato, sem muitos rodeios, revelou que não estava mais a fim dela. Cláudia, ao ouvir aquilo, começou a chorar.

— Por que você tá fazendo isso comigo?

— Desculpa, Cláudia, mas acho mesmo que a gente deve dar um tempo.

— Dar um tempo? Mas por quê? O que foi que eu fiz?

Ele revirou os olhos e pensou com raiva: "Puxa vida! Ainda tenho que dar explicações". E, para deixá-lo ainda mais chateado, Maria Luísa, acompanhada da Carol, passou por eles, na certa indo embora da festa. Esquecendo-se de que estava no meio de uma discussão, seguiu-a com o olhar até ela virar a esquina.

— Já sei por que você quer dar o fora em mim! — Cláudia gritou, com raiva. — Por causa dessa galinha! Você ficou o tempo inteiro olhando pra ela. Te odeio, Renato!

E, limpando as lágrimas com as costas da mão, ela voltou para dentro, deixando-o sozinho na calçada. Ele deu de ombros. Melhor assim. Que ela soubesse logo qual era a dele. E, sentindo-se livre como nunca, começou a correr e dobrou a esquina, mas, para sua decepção, Maria Luísa tinha acabado de entrar num ônibus.

• 9 •

Na fossa

No outro dia logo pela manhã, Renato foi acordado pela irmã, que vinha com o telefone na mão:

— Natinhoooô, é a sua namorada.

"Não, a Cláudia de novo!", ele pensou.

— Fala que eu tô dormindo — ele sussurrou.

Bia não teve dúvida:

— O Natinho mandou dizer que tá dormindo.

Renato levou a mão à cabeça... Enquanto isso, Bia parecia ouvir atentamente. Por fim, desligou o telefone e disse:

— Ela mandou falar que ia perdoar você, mas que agora te odia.

— "Odeia", você quer dizer.

— É.

— Ótimo.

— Natinhoooô, posso saber de uma coisa?

— O que é, coisa? — perguntou ele, cobrindo a cabeça com a coberta.

— Por que você gosta quando a namorada te odia?

Renato descobriu a cabeça:

— Ô, Bia, quer fazer um favor?

— Se for pra ver se você tá na esquina, eu não vou. Amanhã, eu fui e você não tava.

Como não conseguisse mais dormir, Renato se levantou. Dentro dele, sentia uma estranha ansiedade. Sem saber o porquê daquilo, foi até a sala, ligou a tevê e viu, sem interesse algum, um trecho da corrida da Fórmula 1.

— Renato, quer fazer o favor de trocar o pijama e tomar um banho?

Ainda por cima, lá vinha a mãe dando bronca.

— Já vou.

— Nada de "já vou". Vai agora.

Ele deu um suspiro, levantou-se e foi para o banheiro.

No almoço, comeu pouco e ficou como que desligado da conversa da família. Nem mesmo se ligou quando o pai perguntou à mãe:

— Que está acontecendo com ele?

— Tá paixonado — falou Bia, apontando-o com o garfo.

À tarde, ficou pensando se valia a pena sair.

— Dar um rolê pra quê? — disse desanimado, esticando-se todo no sofá.

Então, munindo-se de coragem, ligou para Felipe com o propósito de lhe pedir o telefone da prima Maria Luísa.

— Pô, *brother*, ontem você sumiu da festa de repente. Pra onde foi?

— Sei lá, dar umas bandas.

— Dar umas bandas ou dar um cato na mina? E que mina, hein, cara!

Renato ficou em silêncio.

— Tava todo mundo babando. Mas, escuta uma coisa: vocês estavam de treta? Eu vi a mina entrando sozinha e você se jogou...

— É.

— Não vai dizer que tá desprezando uma mina daquelas?

Ele voltou a ficar em silêncio, procurando coragem para pedir ao amigo o número do telefone da Maria Luísa. Coisa estranha nele, que em outra circunstância teria feito isso sem nenhum problema. Por fim, decidiu-se e disse:

— Felipe, você me dá o telefone da sua prima?

— Da Maria Luísa? Anota aí.

Mais que depressa, Renato procurou uma desculpa:

— Ela ficou de me passar a página dos exercícios de matemática pra amanhã.

— Ah, se for por isso, então, é mesmo com ela. A priminha é a mó estudiosa.

Renato ainda ficou um tempo enorme com o papel na mão, olhando para o número do telefone. O que deveria dizer a ela? Talvez, se começasse com a desculpa dos exercícios... Mas exercícios do quê? E se dissesse assim "na lata" que estava a fim dela?

"Você tá doidão, cara?", ele se censurou. "Sem essa de dizer que tá a fim." Por fim, acabou pegando o telefone e discando. Quando alguém atendeu do outro lado, desligou.

Puxa vida, o que se passava com ele? Nunca tinha acontecido de ele ficar intimidado com uma garota. Precisava dar um jeito naquilo. Pegou resolutamente o aparelho de telefone e discou o número de novo.

— Alô — ela atendeu.

Ele gelou, mas acabou dizendo:

— Alô. É a Maria Luísa?

— Sim. Quem está falando?

— O Renato.

— Oi, Renato! Como vai?

E agora? O que dizer? Decidiu-se pela franqueza:

— Queria saber se você não queria sair comigo hoje.

— Sair com você...?

— Sim, dar umas bandas, ir até o *shopping* Tatuapé, pegar um cineminha.

Maria Luísa ficou em silêncio.

— E aí? — ele disse.

— Não sei. Acho que não dá.

E, sem pensar muito no que dizia, ele informou:

— Se você quer saber, não estou mais namorando a Cláudia.

— Por que você está me dizendo isso, Renato?

Ele ficou gelado, mas, como já não podia mais recuar, foi em frente:

— Porque tô a fim de você.

Ela voltou a ficar em silêncio por algum tempo, e depois disse:

— Bem, me desculpe, mas não sei se eu estou a fim de você.

Ele ia protestar, mas ela se antecipou:

— Renato, nada contra você. Gosto de você como colega, mas nem te conheço direito ainda...

— A gente pode se conhecer. Você...

— Desculpe, Renato, mas tenho que estudar umas coisas. Amanhã a gente se fala, tá legal?

Renato pôs o telefone no gancho, e aquela sensação de ansiedade voltou a atormentá-lo. Nunca tinha levado um fora como esse, ou melhor, já tinha levado alguns que ele mesmo provocara para se livrar de alguma garota. Mas levar um fora antes mesmo de ficar ou namorar? Nunca. Por isso, sua auto-estima ficou por baixo, o que o levou a dizer com despeito:

— Nojenta! Imbecil! Quem que ela pensa que é? Anã de jardim! Chaveirinho! Pintora de rodapé!

E imediatamente lhe veio a tentação de ligar para a Cláudia, pedir-lhe desculpas e marcar um encontro. Mas desistiu em tempo, quando dolorosamente se lembrou de que desejava mesmo era estar com a Maria Luísa.

• 10 •

Um trabalho em grupo

Na segunda-feira, logo quando acordou, Renato sentiu o desejo imperioso de ver Maria Luísa. Francamente, ele não se reconhecia. Por que tanta ansiedade? Ele parecia uma outra pessoa, tão diferente daquele Renato, que, em se tratando de garotas, sempre agia do modo mais displicente e natural possível.

Quando chegou no colégio, ao encontrar Maria Luísa, ela o cumprimentou de um modo que lhe pareceu distante, frio. Renato sentiu uma enorme frustração. Era como se nada houvesse acontecido! Puxa vida, no dia anterior ele havia mostrado que gostava dela!

No intervalo, nem teve coragem de se aproximar da garota. Como se entre eles houvesse uma barreira. Mesmo assim, durante as aulas, não pôde evitar de, de vez em quando, erguer os olhos e contemplar seu lindo e suave perfil. Como era delicada! Como seus lábios pareciam doces! Imaginou-se então beijando-os, tendo junto de si aquele corpinho que parecia tão leve e macio.

Mas ele acordava do sonho e dizia baixinho para si mesmo: "Pô, cara, deixa de ser trouxa. Tá cheio de mina no mundo".

Sim, o mundo estava cheio de "minas", mas Maria Luísa era única, especial. E ele ia querer justo aquela garota, que não lhe dava a mínima!

Renato só foi sair daquele devaneio quando a professora de português, a dona Mara, começou a dividir a turma em grupos, para apresentarem seminários sobre os livros que a classe deveria ler no bimestre: *Senhora,* de José de Alencar, *Eurico, o presbítero,* de Alexandre Herculano, *O primo Basílio,* de Eça de Queirós, *Dom Casmurro*, de Machado de Assis, e *O cortiço*, de Aluísio Azevedo.

— Gostaria que vocês entendessem bem a diferença fundamental que há entre o romantismo e o realismo, dois movimentos literários muito importantes. Mas não queria que ficassem apenas decorando as características de cada movimento. Preferia que cada grupo analisasse o romance, expusesse os pontos de vista, para que a gente pudesse determinar o que é essencial em cada escola literária — explicou a professora.

Ela terminou por dizer que, entre outras coisas, cada grupo deveria analisar, no livro escolhido para o seminário, como a história se construía, capítulo a capítulo ou cena a cena; como o narrador contava a história; como se dava a caracterização das personagens, da época e do espaço onde os acontecimentos se passavam.

Em seguida, pediu que a classe se dividisse em grupos, para que as obras fossem sorteadas.

Sem pensar muito no que fazia, Renato se aproximou de Maria Luísa. Naquele momento, a garota estava cercada por alguns colegas, ansiosos por fazer parte de seu grupo, talvez porque julgassem que, com ela, o trabalho se tornaria muito mais fácil.

— Posso fazer parte do seu grupo? — ele perguntou timidamente.

Maria Luísa, que, muito organizada, escrevia o nome dos membros do grupo numa folha de papel, ergueu os olhos e respondeu:

— Claro! — E, após dizer isso, anotou o nome dele.

A classe toda dividida em grupos, a professora fez o sorteio das obras.

— *O primo Basílio*, que bom! — exclamou Maria Luísa, mal abriu o pedacinho dobrado de papel que havia recebido. — É um livro muito legal.

— Legal? Comecei a ler umas duas vezes e achei o mó chato... — disse a Vânia, fazendo uma cara de desaprovação.

— Acho que, se você tivesse um pouco mais de paciência, veria que *O primo Basílio* é um livro muito bom — observou Maria Luísa com entusiasmo. — O Eça de Queirós tem um jeito todo especial pra descrever as personagens, pra criticar a sociedade do seu tempo.

— Ah, eu preferia uma história mais romântica... — tornou a dizer a Vânia.

— Bem, quanto a mim, gosto muito mais de um tipo de livro que faça a gente pensar. E n'*O primo Basílio,* a gente vai encontrar isso de montão.

Para Renato tanto fazia que romance fosse. Além de não gostar muito de ler, o que lhe interessava mesmo era estar junto dela. Mas, por dentro, ele dizia para si mesmo que estava fazendo uma besteira de ficar se amarrando desse jeito naquela garota. Mas era só Maria Luísa erguer os olhos e sorrir, que ele ficava completamente desarmado e desejando como nunca estar a seu lado.

Então, por exigência da Maria Luísa, combinaram que logo à tarde se reuniriam na casa dela para começar a planejar o seminário.

• 11 •

Frustração

Em outra circunstância, Renato jamais perderia tempo numa reunião para discutir um seminário. Justo à tarde, no horário em que tinha treino de futebol... Mas daquela vez não hesitou em sacrificar o sagrado treino de salão. E, ainda por cima, passou um tempo mexendo em suas coisas, procurando uma apostila em que sabia ter visto alguma coisa sobre *O primo Basílio*.

Por fim, achou-a toda amassada numa gaveta. Abriu e folheou. Beleza! Tinha o resumo da história, a descrição de cada personagem e a lista das características de um romance realista. Com isso, pensou, seria fácil dar sua contribuição e impressionar a garota.

No horário combinado, assim que a reunião começou, Maria Luísa sugeriu:

— Que tal se a gente pensasse na parte de cada um no seminário?

Todo convencido, Renato se adiantou:

— Vejam que apostila joia que eu trouxe. Tem um resumo do romance, as características de cada personagem... A gente nem precisa ler o livro.

— Legal, Renato! — exclamou o Fefa. — Onde que você achou isso? Passa aqui pra mim, que eu quero dar uma olhada.

— Espera aí um instantinho — interrompeu Maria Luísa, muito séria. — Quer dizer que vocês estão pensando em fazer uma apresentação só repetindo o que está aí?

— Ué, o que é que tem? Assim, a gente prepara logo o seminário — comentou a Vânia, que sempre reclamava de tudo quanto é trabalho que os professores davam.

— De jeito nenhum! — protestou Maria Luísa, folheando com desprezo a apostila. — A gente deve é ler o livro. Essas apostilas não substituem a leitura. São muito superficiais. É uma vergonha a gente copiar tudo daí.

— Concordo com a Maria Luísa — apoiou a Selma. — Vai ser bom a gente ler o livro.

Renato não sabia onde se esconder. Havia desejado impressionar a garota, mas o que tinha conseguido era que ela o humilhasse na frente de todo mundo. Que droga! Como se arrependia de ter escolhido o grupo dela!

Voltando para casa, ele veio se maldizendo. Era um tremendo idiota! Bem feito para ele, que havia tido nas mãos uma garota que todo mundo desejava e quis trocá-la por aquela baixinha metida a besta. E, só de recordar o jeito com que ela dissera "é uma vergonha a gente copiar tudo daí", ele se sentia ainda mais humilhado.

Tudo bem, ele estava fora. Iria para outro grupo que aceitasse sua sugestão, refletiu. Mas, com o orgulho ferido, de repente, ele parou no meio da rua e disse em voz alta:

— Você tá pensando o quê, garota? Que não sou capaz de ler um livro desses?

E, muito decidido, deu meia-volta, foi até a biblioteca da escola e pegou um dos exemplares de *O primo Basílio*.

* * *

Portanto, meu caro leitor, depois dessa longa caminhada, voltamos ao ponto inicial deste livro. Se você se recorda, o Renato estava deitado num sofá e começava penosamente a ler as páginas iniciais do romance de Eça de Queirós, chateando-se como nunca.

Mas não é só isso. Lamentava-se também por ter se deixado enfeitiçar pela Maria Luísa. E o desespero que sentiu foi tanto, porque temia não só passar vergonha diante dela como também perdê-la, que resolveu pedir o auxílio de Alice.

Bem, acho que está mais que na hora de você saber, afinal, quem é essa tal de Alice...

• 12 •

Um amor de cunhada

Como já foi dito, Alice era a cunhada de Renato, casada com o irmão dele, o Alberto. Quando ela o conheceu, Renato tinha nove anos. E Alice, logo de cara, ficou encantada com ele, que já prometia ser o garotão alto e bonito do futuro. Naquela época, a coisa que ela mais gostava de fazer era agarrá-lo, beijá-lo várias vezes e dizer:

— Coisa linda! Coisa fofa!

Alice é bastante espirituosa, extrovertida e amorosa... Mas, hoje, ela está casada com o Alberto, a quem ama de todo o coração. E a recíproca é verdadeira. Ainda não têm filhos, porque o marido, muito prudente, quer, primeiro, se firmar na profissão de engenheiro. Evidentemente, com o passar do tempo, ela deixou de beijar Renato repetidas vezes e de chamá-lo "coisa linda" e "coisa fofa".

Mas isso não impede que ela continue a adorar o cunhado. Com a Bia acontece a mesma coisa: como Alice não tem filhos, mostra um carinho todo especial pela garotinha. Coisa mais comum é vê-la com a menina no colo, contando-lhe histórias ou brincando de bonecas com ela.

De certa maneira, Alice e Renato se tornaram cúmplices. Coisa mais comum, quando se encontravam, era ela provocá-lo até que ele contasse tudo sobre suas últimas conquistas. E Renato falava de uma garota, de outra, orgulhoso de ter um público. Sobretudo um público tão atento e engraçado como Alice.

Contudo, a cunhada não se ilude com o jeitão do Renato. Sabe que aquela mania de ele se exibir cada vez com uma garota nova era apenas uma defesa e que, lá no fundo, o seu querido cunhadinho era uma pessoa amorosa e sensível.

— Então, Natinho, quando é que você vai se amarrar de vez numa garota?

— Eu, me amarrar? Tá doida?! Meu negócio é ficar...

Embora Alice gostasse demais de Renato, do seu jeito de meninão, lamentava um pouco essa sua maneira de ver as garotas. Mas acabava por não dar muita importância a isso, porque sabia que, com o tempo, ele se modificaria.

— Quero ver o dia em que você se apaixonar. Vai ficar maluco!

— Eu, me apaixonar? Sai dessa, Alice...

Mas tem outra coisa em Renato que a desagradava: o desprezo que ele demonstrava pelos livros. Como ela era professora e adorava ler, desde que o conheceu tentou fazer de tudo para que ele se interessasse pela leitura. O esforço pareceu inútil, porque o que Renato gostava de fazer era jogar futebol, surfar e, como não poderia deixar de ser, ficar com as garotas.

Caso bem diferente era o da Bia. Quando Alice ia à casa deles, a primeira coisa que a garotinha fazia era sentar-se em seu colo e pedir:

— Tia, lê uma toia pra mim...

Alice não entendia aquele desinteresse do cunhado por livros. “Afinal”, ela pensava, “ler é tão bom! Além de divertir como nunca, ensina a gente a conhecer os outros e o mundo.”

Entretanto, apesar desse pequeno defeito de Renato, Alice não podia deixar de gostar dele. O cunhado era generoso, leal, divertido. Enfim, era por essas qualidades que as garotas, mal o conheciam, ficavam doidas por ele.

E, como ela se divertia em se tornar a confidente de Renato, divertia-se mais ainda ao conhecer as garotas que, de certo modo, ele conquistava; ou melhor, como costumava dizer, "colecionava".

— Você ainda está com a Mary? Aquela gracinha?

— A Mary já era.

— Puxa vida, mas parecia que você estava tão ligado nela...

— Tava ligado, tava ligado — ele sorria, todo convencido.

— E agora, você está saindo com quem?

— Tô dando um tempo.

— Você? Quer apostar que, amanhã mesmo, já estará com outra garota?

— Não aposta que você perde. Já disse: quero dar um tempo.

Mas era fatal. No outro dia, uma sexta-feira, como Alice havia predito, Renato já estava com uma nova garota, a Mariana...

Até que, afinal, ela conheceu a Cláudia. Como Alice e Alberto tinham ido assistir a um filme no *shopping* Tatuapé, por acaso se encontraram na fila do cinema com Renato, que estava acompanhado da garota. Nem é preciso dizer que ela ficou muito impressionada com a beleza da Cláudia.

Depois do filme, os quatro foram comer um lanche. Desinibida como sempre, Cláudia não se intimidou com a presença de Alice e Alberto e falou sem parar. Renato, a seu lado, morria de vergonha, porque, definitivamente, o papo da garota não era o tipo de assunto que pudesse interessar ao irmão e muito menos à cunhada.

Quando Alice desceu ao estacionamento e entrou no carro, comentou com o marido:

— Puxa vida, que garota mais linda! O seu irmão, hein!

Alberto, que era muito sincero, comentou:

— Linda, mas chatinha...

— Ah, você também reparou nisso? Não sei como o Natinho, que é tão sensível, foi se amarrar numa garota como essa.

— Você mesma não vive dizendo que ele, em vez de namorar, coleciona garotas? Mais uma joia pra coleção dele, ué — concluiu Alberto, que, apesar de reservado, sabia ser irônico quando queria.

• 13 •

Pedido de socorro

Como já sabemos, a coisa mais comum era Renato ir até a casa do irmão para conversar com Alice. Ela era toda ouvidos. Muito paciente, deixava o rapaz falar à vontade. Mesmo se estivesse preparando aulas ou corrigindo provas, interrompia o que estava fazendo para atendê-lo. Isso porque, além de gostar de verdade do cunhado, costumava dizer que aquele tipo de papo a divertia e distraía.

Se o assunto era trivial, como, por exemplo, a última conquista dele, ouvia-o, fazia perguntas para saber o tipo da garota, ria com os comentários irônicos do jovem conquistador e, por fim, acabava por dispensá-lo:

— Tchau, querido, preciso trabalhar.

Porém, se o assunto parecia mais sério, ou se ela notava as pequenas dúvidas e angústias do cunhado, deixava que a conversa se prolongasse. E ouvia tudo quase em silêncio absoluto, sabendo que ele precisava desabafar. Nessas ocasiões, Renato acabava indo embora só depois de jantar. Mesmo assim, só ia porque Alice tinha de dar aulas à noite, na faculdade, senão talvez ficassem conversando por muito mais tempo.

Renato saía dessas conversas com o coração aliviado. Alice era a única pessoa que o entendia de verdade. Ela sabia das coisas. E foi, portanto, a ela que ele quis logo recorrer, quando aquela confusão começou: a paixão pela Maria Luísa. Ainda ligado a isso, havia a necessidade de ler *O primo Basílio*, como condição essencial para conquistar a garota.

Assim, naquela terça-feira, desprezou outro treino de futebol de salão e correu para a casa da cunhada.

* * *

Logo após o almoço, Alice tinha diante de si uma pilha de provas. Com um suspiro, ia começar aquele trabalho, em que levaria na certa umas três horas, quando tocaram a campainha. Contrariada, ela se levantou, mas ao abrir a porta e se deparar com o Renato ficou muito feliz.

— Oi, querido, vai entrando — convidou ela, beijando-o no rosto.

— Você tá muito ocupada?

Pelo tom de voz dele, ela descobriu que ali tinha coisa.

— Pra você, meu amor, eu nunca estou ocupada.

Sentaram-se um diante do outro, e Renato ficou em silêncio, sem saber como começar a conversa. Nervoso, permaneceu uns minutos só esfregando as mãos, evitando olhar de frente para Alice, que, por fim, para deixá-lo à vontade, perguntou:

— Não quer tomar um refrigerante?

— Tá legal.

Ela voltou com uma lata de guaraná. Renato bebeu um bom gole do refrigerante. Então disse:

— Tô numa roubada.

— Numa roubada? Que roubada?

Tomando coragem, ele lhe contou toda a história: como havia conhecido Maria Luísa, os sentimentos estranhos que teve por ela, coisa que nunca tivera por garota alguma, a declaração que havia feito, o fora, o seminário em que entrou por causa da garota e a chatice de ter que ler *O primo Basílio*.

O garoto disse tudo isso de um só fôlego, quase sem respirar. Alice ouviu-o em silêncio, sem interrompê-lo. Quando ele se calou e tomou outro gole do refrigerante, ela sentiu uma enorme vontade de rir.

É que Alice achava cômica a maneira de Renato, todo aflito, tentar explicar uma situação com que não sabia lidar. Mas ela não riu, porque foi imediatamente tomada por outro sentimento, o de pena. Isso porque percebeu que o garotão não sabia lidar muito bem com os próprios sentimentos.

— Bem, vamos lá, por partes. Primeiro: você ainda está ficando com aquela... Como é mesmo o nome dela?

— Cláudia. Não, terminei com ela.

— Terminou por quê?

— Ah, ela é uma chata.

— Só por isso você quis acabar? — perguntou Alice, com uma pitada de malícia.

— Não... — Renato hesitou um pouco. — Acabei também por causa... por causa da Maria Luísa.

— Ah, bom! Será que você não está apaixonado por ela?

Como se tivesse sido pego em flagrante fazendo coisa errada, Renato pôs a mão no peito e disse, envergonhado:

— Eu?! Que mané apaixonado o quê!

— Vamos lá, Natinho, confesse. Você está doido pela garota.

Para surpresa de Alice, lágrimas começaram a correr dos olhos do cunhado, que, mais envergonhado ainda, limpou o rosto com a mão e virou a cara. Alice se levantou, sentou-se ao lado dele e o abraçou. Não podendo mais se conter, ele pôs a cabeça no ombro dela e começou a soluçar.

— Anda, vá, concorde, você está apaixonado pela garota...

— Tá bem, tô ligadão, sim! — ele gritou, explodindo. — Tô desse jeito, e ela nem quer saber de mim. E, ainda por cima, tenho que ler essa droga de livro.

Alice entendeu na hora o drama de Renato. Ler *O primo Basílio* seria uma forma de se afirmar ante aquela garota, que parecia valorizar algo que as outras garotas nem sempre valorizavam: o trabalho intelectual.

Depois de refletir um pouco sobre a situação, ela disse:

— Bem, se você acha mesmo que o caminho mais correto pra ter o coração dessa garota é ler o livro, o negócio então é lê-lo e mostrar pra ela que você não é um panacão.

Renato deixou passar aquele "panacão" e disse, com angústia na voz:

— Mas eu não consigo! O livro é muito chato!

— Tenho minhas dúvidas se *O primo Basílio* é mesmo um livro chato. Eu particularmente não acho isso. Mas como você é que tem que ler...

— Ler eu acho até que consigo — afirmou Renato, já mais calmo e parando de chorar. — Meto as caras e leio tudo, mas o problema não é esse.

— Então, qual é o problema?

— Acontece que tenho que entender a história, analisar as personagens...

— Bem, se você conseguir fazer isso, acredita mesmo que poderá conquistar a garota? — perguntou Alice.

— Sei lá, acho que sim. Ela adora o livro, gosta de estudar e pensei que...

— Tá bom, tá bom, meu querido. Mas isso não é um bicho de sete cabeças.

— Pra mim, é.

— Mas pra nós dois não será, meu querido. Vamos estudar juntos. Quantas páginas você já leu?

— Sei lá, umas três ou quatro...

— Está bem. Você volta pra casa, lê mais um pouco e amanhã a gente começa a conversar sobre o livro.

Renato hesitou um pouco, mas acabou se levantando.

— Você acha que...

— Claro que acho! — disse Alice, sem saber ao certo se ele queria perguntar se conseguiria ler o livro direito ou se, lendo o livro, conquistaria a garota. Contudo, como ela conhecia bem o cunhado, sabia que o melhor a fazer era começar com o livro. A conquista da garota ficaria para depois.

Depois que o rapaz saiu, ela voltou a corrigir as provas, mas não conseguiu se concentrar na tarefa. Pobre Renato! Conhecia todas as manhas para conquistar a garota que quisesse, mas não sabia como lidar com as coisas do coração!

"E essa Maria Luísa, que o prendeu tanto...", refletiu Alice, devia ser uma garota e tanto. Como ela gostaria de conhecê-la!

Mas isso também ficava para depois, Alice concluiu desanimada, porque agora tinha que se concentrar na tarefa de ler aquela montanha de provas.

• 14 •

Voltando à leitura

Logo que chegou em casa, movido por uma forte resolução, Renato pegou o volume de *O primo Basílio*. Deitando-se novamente no sofá, abriu na página em que havia parado e, procurando afastar toda a preguiça, toda má vontade, recomeçou a ler.

Ficou então sabendo como Jorge e Luísa haviam se casado, depois de um breve e rápido namoro. Em seguida, leu o trecho em que Luísa recebera a notícia da próxima chegada a Lisboa do seu antigo namorado, Basílio de Brito:

— Ah! — fez Luísa de repente, toda admirada para o jornal, sorrindo.

— Que é?

— É o primo Basílio que chega!

E leu alto, logo:

"Deve chegar por estes dias a Lisboa, vindo de Bordéus, o Sr. Basílio de Brito, bem conhecido da nossa sociedade. S. Exª que, como é sabido, tinha partido para o Brasil, onde se diz reconstituíra a sua fortuna com um honrado trabalho, anda viajando pela Europa desde o começo do ano pas-

sado. A sua volta à capital é um verdadeiro júbilo para os amigos de S. Exª que são numerosos."

Logo após, entrava em cena a criada Juliana, assim descrita:

Houve um ruído domingueiro de saias engomadas. Juliana entrou, arranjando nervosamente o colar e o broche. Devia ter quarenta anos e era muitíssimo magra. As feições, miúdas, espremidas, tinham a amarelidão de tons baços das doenças de coração. Os olhos grandes, encovados, rolavam numa inquietação, numa curiosidade, raiados de sangue, entre pálpebras sempre debruadas de vermelho. Usava uma cuia[1] *de retrós imitando tranças, que lhe fazia a cabeça enorme. Tinha um tique nas asas do nariz.*

— Nossa, que mocreia! — comentou Renato, franzindo a testa.

E continuou a ler, até chegar na cena em que Luísa ficava sozinha, um pouco após a saída de Jorge, e se entretinha com a releitura de um livro. Essa parte exigiu de Renato um pouco mais de atenção, porque havia muitos nomes de obras e personagens desconhecidos. Foi com irritação que se obrigou a interromper a leitura a toda hora para consultar as notas de rodapé.

Cansado, ele parou de ler um pouco. Levantou-se e foi à cozinha pegar um pacote de bolachas. Voltando ao sofá, enquanto mastigava, contemplou o livro e viu que ainda faltavam muitas páginas para chegar ao fim.

— Que saco! — murmurou.

---

[1] Punhado artificial de cabelos.

Munindo-se de toda coragem, deitou-se novamente e continuou a ler:

Foi com duas lágrimas a tremer-lhe nas pálpebras que acabou as páginas de A dama das camélias.[2] *E estendida na* voltaire, *com o livro caído no regaço, fazendo recuar a película das unhas, pôs-se a cantar baixinho, com ternura, a ária final da* Traviata.

"Addio, del passato"[3]...

Lembrou-lhe de repente a notícia do jornal, a chegada do primo Basílio...

Um sorriso vagaroso dilatou-lhe os beicinhos vermelhos e cheios. — Fora o seu primeiro namoro, o primo Basílio! Tinha ela então dezoito anos! Ninguém o sabia, nem Jorge, nem Sebastião...

Renato interrompeu a leitura e disse em voz alta:

— Sebastião? Quem é esse cara?

Aborrecido por não ter a resposta ali no texto, deu um suspiro e continuou a ler:

De resto fora uma criancice: ela mesma, às vezes, ria, recordando as pieguices ternas de então, certas lágrimas exageradas! Devia estar mudado o primo Basílio. Lembrava-se bem dele — alto, delgado, um ar fidalgo, o pequenino bigode preto levantado, o olhar atrevido, e um jeito de meter as

---

[2] Ver nota 9, p. 14.

[3] *La Traviata*, ópera do compositor italiano Giuseppe Verdi (1813-1901), inspirada em *A dama das camélias*. *Adio, del passato*, em italiano: "Adeus ao passado".

mãos nos bolsos das calças fazendo tilintar o dinheiro e as chaves! Aquilo *começara em Sintra, por grandes partidas de bilhar muito alegres, na quinta do tio João de Brito, em Colares. Basílio tinha chegado então da Inglaterra: vinha muito* bife[4]*, usava gravatas escarlates passadas num anel de ouro, fatos*[5] *de flanela branca, espantava Sintra*[6]*!*

Renato ficou então sabendo como havia sido o namoro entre Luísa e o primo e como este havia terminado, quando o pai de Basílio perdeu toda a fortuna, obrigando o filho a vir para o Brasil. Foi aí que Luísa, conhecendo Jorge e sem muito refletir, acabou se casando com ele.

Com um pouco mais de esforço, o jovem leu ainda a cena em que Luísa recebia a amiga Leopoldina, uma mulher casada, que tinha muitos amantes, provocando, mais tarde, a raiva de Jorge, porque ele acreditava que ela exercia má influência sobre a esposa:

— *Ouve lá, é necessário que deixes por uma vez de receber essa criatura. É necessário acabar por uma vez!*

Luísa fez-se escarlate.

— *É por causa de ti! É por causa dos vizinhos! É por causa da decência!*

— *Mas foi a Juliana... — balbuciou Luísa.*

— *Mandasse-a sair outra vez. Que estavas fora! Que estavas na China! Que estavas doente!*

Parou, com um tom desconsolado, abrindo os braços:

— *Minha rica filha, é que todo o mundo a conhece. É a Quebrais. É a* Pão-e-Queijo*! É uma vergonha!*

[4] Indivíduo de origem inglesa.

[5] O mesmo que ternos, calça e paletó, em português de Portugal.

[6] Região serrana perto de Lisboa.

Citava-lhe os seus amantes, exasperado: o Carlos Viegas, o magro, de bigode caído, que escrevia comédias para o Ginásio! O Santos Madeira, o picado das bexigas, com uma gaforinha![7] *O Melchior Vadio, um* jingão[8] *desossado, com um olhar de carneiro morto, sempre a fumar numa enorme boquilha! O Pedro Câmara, o bonito! O Mendonça dos calos!* Tutti quanti.[9]

Renato leu até o fim do primeiro capítulo e, depois, pôs o livro de lado e disse:

— Por hoje, chega.

Reparou que havia lido umas vinte e poucas páginas, o que o deixou satisfeito.

— Natinho, que você está fazendo aí? — A mãe entrava na sala e estranhava que o filho, em vez de ter ido jogar futebol ou ver tevê no quarto, tinha se deitado no sofá com um livro no colo.

— Não vai me dizer que estava lendo?

— Pois é...

— Que milagre! Mas vá lavar a mão, que o jantar já está na mesa.

Ele se levantou, e ela, vendo o pacote de bolacha vazio no chão, ainda achou de dar mais uma de suas broncas:

— Quantas vezes já falei pra não comer bolacha no sofá! Fica tudo cheio de migalhas. E, por favor, ponha a embalagem no lixo reciclável! Se não ajuda, por favor, não atrapalhe. O dia inteiro...

— Tá bom, mãe, tá bom — disse ele, revirando os olhos e saindo rápido da sala, antes que ela inventasse de dar outra bronca.

---

[7] Espécie de topete despenteado.

[8] Tipo de pessoa que ginga quando anda, malandro.

[9] Em italiano, expressão que designa todas as pessoas, sem exceção.

• 15 •

O primeiro papo com Alice

No outro dia, logo após o almoço, Renato correu até a casa da Alice, levando sob o braço o volume de *O primo Basílio*. A cunhada, após convidá-lo a entrar, perguntou:

— Como é, então? Leu mais alguma coisa?

Em resposta, ele mostrou o marcador de página dentro do livro.

— Que beleza, hein! — ela comentou, admirada.

— Beleza, nada — disse ele, irritado e sentando-se. — Não sei se vou conseguir ler toda essa droga...

Alice fingiu ignorar o mau humor do cunhado e, sentando-se no sofá diante dele, solicitou:

— Então, me faça um resumo do que já leu.

O jovem, sem esconder o mau humor, começou a falar:

— Ah, é uma história muito chata...

Alice começou a rir:

— Chata como? É só isso que você tem a dizer do romance?

— Tá bom, tá bom, vamos lá — continuou ele, demonstrando ainda seu mau humor. — O Eça de Queirós começa o romance mostrando as personagens principais, Jorge e Luísa. Ele conta como foi o passado dos dois, como Jorge conheceu a esposa e como ela namorou um cara chamado Basílio. Depois, o homem sai pra trabalhar e ela fica lendo um livro. Nisso, chega uma amiga dela, a Leopoldina, e as duas começam a fazer fofocas. Por fim, Jorge volta pra casa e dá a maior bronca na mulher, porque ela recebeu a tal da amiga. Acho que é isso... Não sei se faltou alguma coisa.

Alice sentiu mais uma vez aquela vontade enorme de rir com o jeito atrapalhado do cunhado, mas se conteve e preferiu apenas perguntar:

— Muito bem, antes da gente começar a analisar o romance, você poderia me dizer quando ele foi publicado?

— Ah, sei lá!

Caindo em si e vendo que havia sido estúpido, ele se corrigiu:

— Desculpa, Alice, é que ando meio nervoso...

— Esquece, querido. Se não sabe, *O primo Basílio* foi publicado em 1878, três anos depois de *O crime do padre Amaro*. E nessa época qual era o movimento literário que predominava em Portugal?

— O realismo... ? — perguntou ele.

— Isso mesmo.

— Escuta uma coisa, Alice, pra que eu tenho que saber quando foi publicado o livro e qual era o movimento literário que rolava em Portugal na época?

— Porque isso vai ajudá-lo a entender melhor o estilo do autor, o modo como as personagens são retratadas. Então, seria bom você começar por me dizer quais são as características do realismo.

Renato coçou a cabeça e procurou se recordar do que havia aprendido no ano anterior. Mas é claro que não conseguiu se lembrar de muita coisa:

— As características do realismo? Deixa eu ver se lembro... Os realistas eram contra o romantismo, né?

— E por que eles eram contra o romantismo?

Ele sorriu todo sem graça:

— Você me pegou. Acho que faltei nessa aula em que a professora Mara...

— Ou não prestou nenhuma atenção. Mas vamos lá: o realismo foi um movimento literário que surgiu na França, no meio do século XIX. Nessa época, apareceram por lá escritores famosos como Zola, Maupassant, Flaubert. Aliás, esse último foi um grande inspirador do Eça, com seu romance *Madame Bovary*, que também trata do adultério.[1] Esses autores foram influenciados pelo desenvolvimento das ciências, pelo positivismo.

— Positivismo? Acho que a professora Mara falou disso.

— Para refrescar sua memória: o positivismo foi um sistema científico criado por um francês chamado Auguste Comte.[2] Segundo ele, para conhecer bem a realidade, o homem devia observar e analisar as coisas de um modo concreto, objetivo, sem se deixar levar pelas emoções.

Alice parou de falar um pouco para ver se Renato não estava se chateando com a explicação, mas, reparando que ele parecia atento, continuou:

— Pois bem, influenciados pelo positivismo, os realistas quiseram dar um caráter científico, objetivo, à literatura. E, desse modo, se opunham aos românticos, por acharem que eles, sendo idealistas e sentimentais, fugiam da realidade, alienando, assim, as pessoas.

---

[1] Émile Zola (1840-1902), autor de *Thérèse Raquin*, *Germinal*, *A terra*, entre outras obras; Gustave Flaubert (1821-1880), autor de *Salambô*; Guy de Maupassant (1850-1893), discípulo de Flaubert, autor de inúmeros contos, crônicas e romances, entre eles *Bola de Sebo* (1880) e *Bel-Ami* (1885).

[2] Auguste Comte (1798-1857) foi um importante filósofo, autor de *Discurso sobre o espírito positivo*, entre outras obras.

— E o que é que a ciência tem a ver com a história de um casal, com uma mulher chamada Luísa e um homem chamado Jorge?

— Tem muita coisa a ver. Se você se lembra, o escritor romântico gostava de mostrar os sentimentos pessoais, falar do amor, da beleza do mundo natural. O escritor realista, pelo contrário, quer analisar as pessoas e as coisas como se fosse um cientista.

Alice parou de falar um pouco, escolhendo a melhor maneira de explicar ao rapaz o comportamento de um escritor realista. Por fim, ela fez uma pergunta:

— Suponhamos que você fosse um cientista e tivesse diante dos olhos um objeto desconhecido. O que você faria para saber o que era?

— Ah, eu observaria o objeto, pegaria ele na mão...

— E depois o classificaria, não é?

Renato balançou a cabeça, confirmando.

— Pois então, esse era o método dos realistas. Buscavam analisar as coisas, as pessoas, para melhor compreendê-las e, assim, fazer uma crítica à sociedade.

O rosto do garoto se iluminou:

— Ah, então é por isso que o Eça descreve com tantos detalhes o espaço, as pessoas...

— Isso! O Eça não diz por que as pessoas são assim ou assado. Mais inteligente, ele mostra minuciosamente a realidade, para que a gente possa tirar nossas próprias conclusões.

Alice voltou a refletir para depois perguntar:

— Por exemplo, como você analisa a Luísa?

— Qual Luísa? — perguntou Renato, subitamente distraído.

— A do romance, seu boboca.

Ele ficou todo sem graça diante do fora que tinha dado. Afinal, havia pensado justamente na Maria Luísa...

— Bem, parece que ela é uma mulher bonita... — respondeu ele, recordando-se da personagem que tinha os cabelos loiros, os traços delicados, a pele bem branca.

— Só isso?

— ... e meio vagal.

— Pode pôr vagal nisso — completou ela, dando uma risada. — Mas você deve ter chegado a essa conclusão graças a certos detalhes a que talvez não tenha prestado muita atenção. Assim, por exemplo, o que Luísa fica fazendo enquanto o marido não está em casa?

— Fica fofocando com a amiga, a... como é mesmo o nome dela?

— Leopoldina.

— Isso mesmo. Além disso, ela fica lendo, imaginando coisas.

— Ah, então chegamos ao ponto essencial da história. Você reparou bem no tipo de papo que ela tem com Leopoldina e no tipo de livro que ela gosta de ler?

— Mais ou menos.

— Vamos lá, abra o livro e vamos examinar os trechos em que ela conversa com a amiga e em que fica lendo romances.

Renato começou a folhear *O primo Basílio*. Alice se levantou e veio sentar-se a seu lado, para ajudá-lo a encontrar as passagens. Até que, num determinado momento, ela pôs o dedo sobre um trecho e disse:

— Vamos ler aqui...

— E teu marido? — perguntou Luísa, vindo sentar-se muito junto de Leopoldina.

— Como sempre. Pouco divertido — respondeu, rindo. E, com um ar sério, a testa um pouco franzida: — Sabes que acabei com o Mendonça?

Luísa fez-se ligeiramente vermelha.

— Sim?

Leopoldina deu logo detalhes.

[...] Nunca tivera segredos para Luísa; e na sua necessidade de fazer confidências, de gozar a admiração dela, descrevia-lhe os seus amantes, as opiniões deles, as maneiras de amar, os tiques, a roupa, com grandes exagerações! Aquilo era sempre muito picante, cochichado ao canto de um sofá, entre risinhos; Luísa costumava escutar, toda interessada, as maçãs do rosto um pouco envergonhadas, pasmada, saboreando, com um arzinho beato. Achava tão curioso!

— O que você achou então?

— Que a Luísa se interessa pelos detalhes da vida da Leopoldina.

— Ou seja, em outras palavras, Leopoldina exerce uma influência muito grande sobre a Luísa, uma má influência, diga-se de passagem, porque ela não tem moral alguma. Mais adiante, inclusive — disse Alice, virando algumas páginas —, você pode ver que a amiga faz a apologia dos amantes etc., etc.

— É por isso que o Jorge dá a maior bronca em Luísa quando fica sabendo que ela conversou com a Leopoldina — comentou Renato, recordando-se do trecho que havia lido em casa.

Alice voltou algumas páginas.

— Vamos ver então o que Luísa costumava fazer quando o marido saía. Olhe aqui — ela começou a ler em voz alta:

Luísa espreguiçou-se. Que seca[3] *ter de se ir vestir! Desejaria estar numa banheira de mármore cor-de-rosa, em água tépida, perfumada, e adormecer! Ou numa rede de seda com*

[3] "Seca", o mesmo que "chateação".

as janelas cerradas, embalar-se, ouvindo música! Sacudiu a chinelinha; esteve a olhar muito amorosamente o seu pé pequeno, branco como leite, com veias azuis, pensando numa infinidade de coisinhas — em meias de seda que queria comprar, no farnel que faria a Jorge para a jornada, em três guardanapos que a lavadeira perdera...

— Como eu te disse, a tal da Luísa é a maior vagal — observou Renato.

— Isso mesmo. Repare que ela só quer repousar. E veja que negócio mais cafona, burguês, a Luísa se imaginar numa banheira de "mármore cor-de-rosa", numa "rede de seda". Outra coisa: você notou no que ela estava pensando nesse momento?

— Ela fica pensando em comprar meias...

— ... em preparar o lanche do marido, achar os guardanapos que a empregada perdeu... — completou Alice. — Em suma, ela é uma cabeça-oca. Agora, vamos ver que tipo de livro ela lê.

— Ué, isso tem alguma importância? — perguntou Renato.

— Muita. "Diga-me o que lês, que eu te direi quem és" — brincou Alice.

Renato releu o longo parágrafo, em que não prestara muita atenção, por causa das notas que teve de consultar seguidamente:

Tornou a espreguiçar-se. E saltando na ponta do pé descalço, foi buscar ao aparador por detrás de uma compota, um livro um pouco enxovalhado, veio estender-se na voltaire, *quase deitada, e, com o gesto acariciador e amoroso dos dedos sobre a orelha, começou a ler, toda interessada.*

Era A dama das camélias. *Lia muitos romances; tinha uma assinatura, na Baixa*[4], *ao mês. Em solteira, aos dezoito anos, entusiasmara-se por Walter Scott*[5] *e pela Escócia; desejara então viver num daqueles castelos escoceses, que têm sobre as ogivas os brasões do clã, mobilados com arcas góticas e troféus de armas, forrados de largas tapeçarias, onde estão bordadas legendas heroicas, que o vento do lago agita e faz viver; e amara* Ervandalo, Morton *e* Ivanhoé[6], *ternos e graves, tendo sobre o gorro a pena de águia, presa ao lado pelo cardo de Escócia de esmeraldas e diamantes. Mas agora era o moderno que a cativava: Paris, as suas mobílias, as suas sentimentalidades. Ria-se dos trovadores, exaltara-se por Mr. de Camors*[7]*; e os homens ideais apareciam-lhe de gravata branca, nas ombreiras das salas de baile, com um magnetismo no olhar, devorados de paixão, tendo palavras sublimes. Havia uma semana que se interessava por Margarida Gautier*[8]*; o seu amor infeliz dava-lhe uma melancolia enevoada; via-a alta e magra, com o seu longo xale de caxemira, os olhos negros cheios de avidez da paixão e dos ardores da tísica; nos nomes mesmo do livro — Júlia Duprat, Armando, Prudência —, achava o sabor poético de uma vida intensamente amorosa; e todo aquele destino se agitava, como*

---

[4] A Baixa é uma região central da cidade de Lisboa, onde se localizam lojas e restaurantes.

[5] Walter Scott (1771-1832), romancista e poeta escocês, autor de *Noiva de Lamermoor* e *Ivanhoé,* entre outras obras.

[6] Personagens de Walter Scott, os dois primeiros de *Os puritanos da Escócia*, o segundo de *Ivanhoé*.

[7] Personagem do romance *Mr. de Camors*, do romancista francês Octave Feullet (1821-1890). Mr. de Camors é o típico conquistador romântico, pobre em valores morais.

[8] Personagem do romance romântico *A dama das camélias*, Margarida é uma prostituta que morre por amor.

numa música triste, com ceias, noites delirantes, aflições de dinheiro, e dias de melancolia no fundo de um coupé[9], *quando nas avenidas do Bois*[10], *sob um céu pardo e elegante, silenciosamente caem as primeiras neves.*

— Já leu? Pois é, como pode ver, a Luísa só gostava de escritores românticos, como Walter Scott e Alexandre Dumas.

— Walter Scott e Alexandre Dumas? Nunca ouvi falar.

— Esses escritores costumavam agradar aos burgueses, às mulheres como a Luísa. Walter Scott escrevia histórias passadas na Idade Média, tratando de damas, cavaleiros andantes. Já o Alexandre Dumas escrevia dramas, como *A dama das camélias*, que se passa no século XIX. Esse tipo de literatura, por ser muito sentimental, buscava tocar o coração das pessoas, para ajudá-las a fugir da realidade.

— Pessoas como a Luísa, né?

— Isso mesmo. A Luísa é viciada num tipo de literatura sentimental ao extremo, que pintava falsamente a realidade.

— Como toda a literatura romântica, não é mesmo? — observou Renato.

— Bem, a gente não pode generalizar. Há escritores que escreveram obras românticas e nem por isso deixaram de fazer uma crítica severa à sociedade de seu tempo. José de Alencar, em *Senhora*, por exemplo, critica o casamento por dinheiro; Camilo Castelo Branco, em *Amor de perdição*, denuncia o ódio gratuito entre famílias, que impede o amor dos jovens. Portanto, chegamos à conclusão de que há românticos e românticos...

Alice fez uma pausa e logo continuou a explicar:

---

[9] Palavra francesa que designa um tipo de carruagem para dois passageiros.

[10] Bois de Bologne, praça em Paris.

— O problema da Luísa é que ela escolhe para ler somente os livros dos maus românticos, que despertam nela a emoção superficial, autores que pintam o mundo de cor-de-rosa. Ela é uma mulher que não pensa, não reflete nas coisas e que, no fundo, deseja ter aventuras sentimentais, como as das personagens dos romances.

Renato pensou um pouco e depois disse:

— Escuta uma coisa, Alice: ela não tá parecendo essa gente de hoje que pensa que a vida é igual ao que acontece nas novelas?

Alice agarrou o cunhado e deu nele um beijo:

— Meus parabéns! Afinal, você está botando seus neurônios pra funcionar!

— Hei, tá pensando que sou imbecil? — disse Renato, procurando se desvencilhar dela.

— Estou brincando, querido, mas a verdade é que você acertou mesmo no alvo. O que o Eça de Queirós queria analisar eram os frágeis laços de uma família burguesa. Marido e mulher se casam sem uma motivação mais séria, a Luísa é fútil, vive sob a influência nefasta da amiga e de uma literatura alienante... E o resultado, como num bom teorema, será fatal: ela vai se entregar ao primeiro que vier com uma boa cantada. Vamos ver se adivinha quem será...

— Acho que aquele cara, o tal do primo Basílio.

Alice se levantou.

— Mas isso você mesmo tem que saber, lendo o restante do livro.

O jovem se levantou também, e Alice reparou que seu rosto parecia desanuviado, como se ele tivesse tirado um peso de cima de si.

— Amanhã, pelo que disse, você vai à reunião na casa da Maria Luísa, não é?

Renato balançou a cabeça, confirmando.

— Então, já tem como desfazer a má impressão que causou da primeira vez...

Ela sorriu e completou:

— Voltando pra casa, leia o segundo capítulo, em que o Eça fala de uma reunião dos amigos na casa do casal. Preste bem atenção, Renato, porque você vai descobrir mais pessoas que exercerão má influência sobre Jorge e Luísa.

Alice beijou o cunhado. Ele já ia saindo, quando ela ainda recomendou:

— Vou te dar uma sugestão: à medida que for lendo, anote o nome das personagens, as características de cada um.

Ele fez uma cara de desgosto.

— Precisa disso mesmo?

— Claro que precisa! Larga de ser preguiçoso. Assim, vai ficar mais fácil pra gente discutir.

• 16 •

Uma doença inoportuna

Na quinta-feira, Renato, antes de se levantar, recapitulou tudo o que iria dizer acerca de *O primo Basílio* na reunião na casa de Maria Luísa. Confirmando as palavras de Alice, queria mesmo apagar a má impressão causada no primeiro encontro do grupo na casa da garota.

Mas qual foi sua decepção quando chegou à escola e não a viu. No intervalo, ficou sabendo pelo Felipe que ela estava de cama, por causa de um resfriado muito forte.

“Droga, e a maldita reunião?”, pensou ele, saindo à procura de Fefa, Selma e Vânia, colegas com quem iria fazer o seminário.

— Acabei de ligar pra Maria Luísa, e ela mandou dizer que é pra gente fazer a reunião assim mesmo — informou Selma.

— Na casa de quem? — perguntou o Fefa.

— Pode ser na minha — disse Selma.

Na saída, Renato inventou uma desculpa para não ir à casa de Selma, porque já não sentia vontade nenhuma de participar da reunião. Em vez disso, foi treinar futebol de salão. Mas, ao contrário do que costumava acontecer, fez isso sem grande entusiasmo, perdendo dois gols praticamente feitos e sendo posto na reserva pelo técnico.

— Um pouco de banco não vai fazer mal a você. Além de ter faltado aos treinos, não está se esforçando nas jogadas — foi a reprimenda do professor Agnaldo, irritado.

Mas Renato nem no banco quis ficar e voltou para casa. Ele estava triste, desapontado. Lamentava tanto não poder ter visto Maria Luísa! De súbito, teve a ideia de visitá-la, com a desculpa de ver se ela estava bem.

Mas acabou por balançar a cabeça e dizer em voz alta:

— Deixa de ser besta, cara!

Renato refletiu que talvez fosse melhor telefonar. Ele parou em um orelhão e ligou. Uma voz de mulher atendeu, mas não era Maria Luísa:

— Pois não?

— A Maria Luísa...?

— Ela está de cama.

— É que a gente tinha uma reunião...

— Infelizmente, não vai ser possível fazer essa reunião. A Maria Luísa está com uma febre muito alta. Você quer deixar algum recado?

"Que recado?", ele pensou, desanimado. Dizer que havia telefonado? Dizer que esperava que ela melhorasse?

— Não, obrigado, depois eu falo com ela na escola.

* * *

Renato passou o que restava da quinta-feira no maior desânimo, sem vontade de fazer nada. Na sexta de manhã, a mãe, ao contrário dos dias anteriores, teve de dar uma bronca nele para que levantasse:

— Anda, sai logo dessa cama! Desse jeito vai chegar atrasado!

Na escola, Renato não conseguiu se concentrar nas aulas. Isso porque, de vez em quando, ficava distraído, contemplando a carteira vazia de Maria Luísa. E, embora soubesse que, na outra semana, ela estaria lá de novo, sentia uma tristeza muito grande, ao erguer os olhos e não ver o seu doce perfil.

Voltando para casa, pensou em desistir. Mas, depois, tomado por uma forte resolução, deitou no sofá com *O primo Basílio*, um caderno, uma caneta e o pacote de bolachas que escondeu sob uma almofada. E recomeçou a ler o livro.

Para sua decepção, no segundo capítulo, em vez de o Eça entrar logo no romance de Luísa com o primo, falava de uma reunião do casal com amigos. Lembrou-se então de que Alice já lhe havia falado dessa reunião, do ponto de vista dela, muito importante, pois ali se viam pessoas que influenciavam Jorge e Luísa.

Renato começou a ler, esforçando-se para prestar a maior atenção nos detalhes. Logo de início, deparou com um longo parágrafo em que era descrito um personagem chamado Julião Zuzarte, parente afastado de Jorge. Ele anotou o nome na folha do caderno e algumas poucas características físicas: "Era um homem seco e nervoso, com lunetas azuis, os cabelos compridos caídos sobre a gola".

Prosseguindo na leitura, não pôde deixar de exclamar:

— Que cara mais chato!

Não foi difícil ele entender que Julião era uma pessoa recalcada, invejosa. Tendo feito o curso de cirurgião, seu maior sonho era conseguir "uma clientela rica, uma cadeira na Escola[1], um *coupé*[2] para as visitas, uma mulher loura com dote".

---

[1] "Cadeira na Escola": na época, havia a figura do professor catedrático nas faculdades, responsável por determinada "cadeira" ou disciplina.

[2] Ver nota 10, p. 70.

Contudo, por ser pobre e não ter amigos importantes, nada conseguira na vida. E esse recalque e inveja se tornavam mais patentes quando, depois, Eça mostrava que Julião, cheio de despeito, ressentia-se pela sorte de Jorge:

Como vinha mais cedo ia à sala de jantar, tomava a sua chávena de café; e tinha sempre um olhar de lado para as pratas do aparador e para as toilettes *frescas de Luísa. Aquele parente, um* medíocre, *que vivia confortavelmente, bem casado, com a carne contente, estimado no ministério, com alguns contos de réis em inscrições — parecia-lhe uma injustiça e pesava-lhe como uma humilhação.*

Mais adiante, entrava em cena a D. Felicidade, assim descrita pelo narrador:

Tinha cinquenta anos, era muito nutrida, e, como sofria de dispepsia e de gases, àquela hora não se podia espartilhar[3] *e as suas formas transbordavam. Já se viam alguns fios brancos nos seus cabelos levemente anelados, mas a cara era lisa e redonda, cheia, de uma alvura baça e mole de freira [...].*

Renato começou a rir, quando ficou sabendo que a gorda mulher era apaixonada por um tal Conselheiro Acácio:

O Conselheiro era a sua ambição e o seu vício! Havia sobretudo nele uma beleza, cuja contemplação demorada a

[3] "Nutrida": cheia de corpo; "dispepsia": sensação de desconforto digestivo; "espartilhar": usar espartilho, peça do vestuário que servia para as mulheres comprimirem o ventre, o peito.

estonteava como um vinho forte: era a calva. Sempre tivera o gosto perverso de certas mulheres pela calva dos homens, e aquele apetite insatisfeito inflamara-se com a idade. Quando se punha a olhar para a calva do Conselheiro, larga, redonda, polida, brilhante às luzes, uma transpiração ansiosa umedecia-lhe as costas, os olhos dardejavam-lhe, tinha uma vontade absurda, ávida de lhe deitar as mãos, palpá-la, sentir-lhe as formas, amassá-la, penetrar-se dela! Mas disfarçava, punha-se a falar alto com um sorriso parvo, abanava-se convulsivamente, e o suor gotejava-lhe nas roscas anafadas[4] *do pescoço. Ia para casa rezar estações, impunha-se penitências de muitas coroas à Virgem; mas apenas as orações findavam, começava o temperamento a latejar. E a boa, a pobre D. Felicidade tinha agora pesadelos lascivos e as melancolias do histerismo velho.*

Em seguida, ele leu a descrição do próprio Conselheiro Acácio, funcionário público aposentado, um homem cheio de pose, pedante, cerimonioso:

Era alto, magro, vestido todo de preto, com o pescoço entalado num colarinho direito. O rosto aguçado no queixo ia-se alargando até à calva, vasta e polida, um pouco amolgada[5] *no alto; tingia os cabelos que de uma orelha à outra lhe faziam colar por trás da nuca — e aquele preto lustroso dava, pelo contraste, mais brilho à calva; mas não tingia o bigode: tinha-o grisalho, farto, caído aos cantos da boca. Era muito pálido; nunca tirava as lunetas escuras. Tinha uma*

[4] Gordas.

[5] Amassada, deformada.

covinha no queixo, e as orelhas grandes muito despegadas do crânio.

Fora, outrora, diretor-geral do ministério do reino, e sempre que dizia — El-rei! — erguia-se um pouco na cadeira. Os seus gestos eram medidos, mesmo a tomar rapé. Nunca usava palavras triviais; não dizia vomitar, *fazia um gesto indicativo e empregava* restituir.

Depois, vinha o Ernestinho, um primo de Jorge, que era "pequenino, linfático[6], os seus membros franzinos, ainda quase tenros, davam-lhe um aspecto débil de colegial". Logo que entrava, o personagem lia para os presentes uma cena de sua peça, exageradamente romântica, intitulada *Honra e paixão*, que iria estrear em breve:

Ernestinho, radioso, esboçou largamente o enredo:
— Era uma mulher casada. Em Sintra tinha-se encontrado com um homem fatal, o Conde de Monte-Redondo. O marido, arruinado, devia cem contos de réis ao jogo. Estava desonrado, ia ser preso. A mulher, louca, corre a umas ruínas acasteladas, onde habita o conde, deixa cair o véu, conta-lhe a catástrofe. O conde lança o seu manto aos ombros, parte, chega no momento em que os beleguins[7] vão levar o homem. — É uma cena muito comovente, dizia, é de noite, ao luar! — O conde desembuça-se, atira uma bolsa de ouro aos pés dos beleguins, gritando-lhes: Saciai-vos, abutres!...

— Belo final! — murmurou o Conselheiro.

— Enfim — acrescentou Ernesto, resumindo — aqui há um enredo complicado: o Conde de Monte-Redondo e a

---

[6] Pessoa apática, débil.

[7] O mesmo que policiais.

mulher amam-se, o marido descobre, arremessa todo o seu ouro aos pés do conde, e mata a esposa.

— Como? — perguntaram.

— Atira-a ao abismo. É no quinto ato. O conde vê, corre, atira-se também. O marido cruza os braços e dá uma gargalhada infernal. Foi assim que eu imaginei a coisa!

Na sequência, aparecia o último frequentador da casa, um grande amigo de Jorge que se chamava Sebastião. Renato notou ser esse o único personagem que Eça descrevia com certo respeito, sem utilizar de ironia:

Era um homem baixo e grosso, todo vestido de preto, com um chapéu mole e desabado na mão. Começava a perder um pouco na frente os seus cabelos castanhos e finos. Tinha a pele muito branca, a barba alourada e curta. [...]

O seu rosto, em plena luz, tinha uma expressão honesta, simples, aberta: os olhos pequenos, azuis de um azul-claro, de uma suavidade séria, adoçavam-se muito quando sorria; e os beiços escarlates, sem películas secas, os dentes luzidios, revelavam uma vida saudável e hábitos castos. Falava devagar, baixo, como se tivesse medo de se manifestar ou de fatigar.

Um pouco mais adiante, Renato começava a entender o verdadeiro papel deste personagem, que tanto o havia intrigado no primeiro capítulo. Isso porque Jorge chamava Sebastião em seu escritório e pedia que, em sua ausência, ele tomasse conta de Luísa e não a deixasse receber Leopoldina:

— A Luísa é um anjo, coitada — dizia Jorge passeando pela saleta —, mas tem coisas em que é criança! Não vê o mal. É muito boa, deixa-se ir. Com este caso da Leopoldina,

por exemplo: foram criadas de pequenas, eram amigas, não tem coragem agora para a pôr fora. É acanhamento, é bondade. Ele compreende-se! Mas enfim as leis da vida têm as suas exigências!...

E depois de uma pausa:

— Por isso, Sebastião, enquanto eu estiver fora, se te constar que a Leopoldina vem por cá, avisa a Luísa! Porque ela é assim, esquece-se, não reflexiona. É necessário alguém que a advirta, que lhe diga: — Alto lá, isso não pode ser!

Lendo e anotando na folha de caderno, de vez em quando mordiscando uma bolacha, Renato chegou ao fim do capítulo. Percebeu então que o fato de ter anotado o nome das personagens, bem como suas características, o ajudava a visualizar e a recordar melhor a cena.

Fechando o livro, espreguiçou-se e pôs-se a pensar em outra coisa. No sábado, haveria uma festa na casa do Fefa. Ele bocejou e estranhou por não sentir muito entusiasmo para ir àquela balada. Se a Maria Luísa aparecesse... Mas ele sabia que ela ainda estava de cama, e saber disso o deixou triste, sem nenhum entusiasmo.

• 17 •

Balada

Mesmo sem vontade, no sábado, Renato foi à casa do Fefa. Mal chegou lá, ficou sabendo pela Selma que Maria Luísa ainda estava doente.

— A mãe dela disse que foi uma pneumonia.

— E agora? O que vai ser do nosso seminário? — perguntou Vânia, assustada.

— A gente tem que se virar sem ela — disse Renato, irritado.

— Se virar sem ela? E como? Eu não consegui ler nem o primeiro capítulo direito. E você, Natinho?

Renato ia responder quando, naquele momento, entrou a Cláudia. Deslumbrante como sempre, usava uma calça *jeans* e uma blusa curta, mostrando sua linda barriguinha. Mas havia um detalhe: ela vinha acompanhada de Betão, que estava com o braço em seu ombro.

Muito vaidoso de sua companhia, ria sem parar, exibindo a todos a recente conquista. E, no momento em que viu Renato, fez questão de ir com a Cláudia até onde ele estava.

— Oi, amigão — cumprimentou-o com ironia.

Renato retribuiu o cumprimento da maneira mais natural possível:

— E aí, Betão?

Quando ele se adiantou para beijar a Cláudia, ela o olhou de um modo penetrante como se quisesse dizer: "Você tava pensando que eu ia ficar sozinha, depois que me deu o fora?".

Mas o que se verificou no pouco tempo em que Renato ficou na festa foi que ela não tirava os olhos dele. Dançava agarradinho com o Betão, contudo, de vez em quando erguia a cabeça, fitando o "ex" com insistência.

Renato sabia que se fosse até Cláudia, mesmo na frente de Betão, e dissesse que queria ficar com ela, a garota não pensaria duas vezes. Mas ele não estava a fim de partir para esse tipo de coisa que, em outra época, faria sem nenhum constrangimento.

Assim, permaneceu em seu canto, evitando olhar na direção da garota. Até que, num determinado momento, cheio daquele joguinho bobo, resolveu voltar para casa.

No caminho, refletiu no quanto havia mudado em tão pouco tempo. E tudo por causa de Maria Luísa. Não sentia a menor vontade de ficar com uma outra garota, de jogar conversa fora. O que sentia mesmo era um desejo imenso de estar com aquela em quem tanto pensava. Era como se a presença dela a seu lado fosse a coisa mais importante de sua vida.

Será que amar era isso? — ele pensou confusamente. Essa vontade doida de querer estar junto com a mulher amada? De olhar fundo nos olhos dela e se sentir possuído por uma emoção nova, desconhecida?

E se fosse, no domingo, visitar Maria Luísa? Era só telefonar, com a desculpa do seminário, e... Mas ele sentiu um arrepio no corpo, como se algo misterioso o inibisse. Logo ele que antes era o maior cara de pau!

Foi com tristeza que voltou para casa. Ao contrário do que costumava fazer, deitou-se quando ainda era muito cedo.

Mas não conseguiu dormir: ficou virando de um lado para o outro, só pensando em Maria Luísa.

Pela manhã, acordou com a Bia o sacudindo.

— Natinhooô...

Ele levantou sobressaltado.

— O que foi? Alguém telefonou?

— Não.

— E por que você tá me acordando? — perguntou, irritado.

— Queria saber por que as namoradas não tão telefonando mais...

• 18 •

Loiras

Na segunda-feira, Maria Luísa faltou novamente, o que acabou deixando Renato ainda mais chateado. Em pânico, o grupo foi pedir à professora Mara para adiar o seminário. Mas Renato estava pouco se importando com isso. Cheio de angústia, só pensava mesmo em quando iria ver Maria Luísa novamente.

Assim, logo depois do almoço, correu até a casa de Alice, em busca de socorro.

— Oi, querido — ela disse, beijando-o.

Como ela conhecia bem o rapaz, logo de cara percebeu que algo o preocupava. Desconfiando do que era, procurou distraí-lo, levando o assunto diretamente para a leitura de *O primo Basílio*.

— E então, já leu mais alguma coisa?

— Já — Renato respondeu de um modo tão chocho que Alice percebeu que na certa ele queria falar também da garota.

— Como foi a reunião na casa da Maria Luísa?

— Não teve reunião... — ele respondeu, dando de ombros.

— Não teve, por quê?

— Ela tá doente.

— Doente? O que ela tem?

— Sei lá, acho que é uma pneumonia.

— Bem, mas uma hora ela sara, e você vai ter que mostrar serviço, né?

Renato permaneceu em silêncio por alguns segundos e depois concordou:

— É, você tem razão. Preciso mostrar serviço.

— Então, vamos lá. O que foi que você leu?

— O segundo capítulo — respondeu ele, abrindo o caderno com as anotações.

— Ah, então você fez a lição de casa! — brincou ela, dando um sorriso satisfeito, ao mesmo tempo que consultava o que o Renato havia registrado no caderno.

Ela ficou surpresa com o progresso do cunhado. Embora ele ainda não parecesse ter entendido todos os aspectos do segundo capítulo, havia tido o cuidado de anotar o nome das personagens e suas características principais.

— Bem, me diga o que achou do capítulo.

Renato hesitou um pouco e, em seguida, afirmou:

— Ah, é uma reunião de uma gente chata que só fica falando abobrinha...

— Que tipo de abobrinha? — insistiu Alice, com um sorriso.

— Que tipo de abobrinha? Tem uma coroa chamada dona Felicidade, que tá ligadona num tal de Conselheiro Acácio, um velho que fala difícil. Tem um escritor que lê uma peça idiota que parece novela mexicana. Eles também tocam e cantam músicas e... Acho que é isso...

— Você não se lembra de mais nada? — perguntou Alice.

O garoto olhou espantado para ela.

— Não há um instante em que o Jorge conversa com o amigo Sebastião?

— Ah, tem sim.

— E por que você não anotou nada a respeito?

— Achei que não era importante.

— Claro que é importante! — disse Alice, pegando o volume de *O primo Basílio* e procurando a passagem que havia citado.

Encontrando o que queria, mostrou-a a Renato:

— Se você se lembra, Jorge chama Sebastião até o escritório e começa a falar da influência negativa da Leopoldina, não é?

— Isso mesmo.

— E o que mais você lembra do que eles conversam a respeito da Luísa?

Renato puxou pela memória e disse, franzindo a testa:

— Esqueci...

— Então, vamos reler a passagem.

E ela leu em voz alta:

— *[...] Vens por aí, fazes-lhe companhia, fazes-lhe música, e se vires que a Leopoldina aparece ao largo, tu logo: — Minha rica senhora, cuidado, olhe que isso não! Que ela, sentindo-se apoiada, tem decisão. Se não, acanha-se, deixa-a vir. Sofre com isso, mas não tem coragem de lhe dizer: Não te quero ver, vai-te! Não tem coragem para nada; começam as mãos a tremer-lhe, a secar-se-lhe a boca... É mulher, é muito mulher!... Não te esqueças, hem, Sebastião?*

— O que você acha disso?

— Sei lá, acho que o Jorge não confia muito na Luísa.

— Só isso?

Ele refletiu uns segundos e depois disse:

— Ah, acho também que ele pensa que ela é uma criança.

— Exatamente. Que a Luísa não pensa, que precisa de alguém pra vigiá-la e aconselhá-la, porque ela é medrosa, não tem confiança em si. Nesse sentido, o Sebastião vai ter um papel muito importante, na medida em que irá zelar pela Luísa, já que é uma pessoa séria, de valores morais muito sólidos. Mais adiante, você verá que esse amigo da família será fundamental para o desenvolvimento da história.

Foi a vez de Alice refletir uns instantes, para depois concluir:

— Mas o pior de tudo é quando o Jorge generaliza...

— Como, generaliza?

— Ué, quando diz que a Luísa "é mulher, muito mulher", ou seja, ele dá a entender que as mulheres costumam ser fracas, medrosas e que, por isso, precisam da proteção, da tutela de um homem — observou Alice, com veemência.

Renato deu um sorriso malicioso e perguntou:

— E não precisam?

Alice deu uma gravata em Renato, fingindo que queria enforcá-lo.

— Seu machista sem-vergonha! É isso que você pensa mesmo das mulheres?

— Tô brincando. Isso só acontece com mulheres do tipo loira burra como a Luísa...

Ela refletiu um pouco e depois disse:

— Falando em loira burra, me lembrei de uma coisa. Você reparou no ideal de mulher do Julião?

— Ah, parece que ele quer uma loira.

— Não só uma loira, mas uma loira com um atributo especial — ressaltou ela, consultando as anotações do cunhado e lendo uma delas em voz alta: "(...) esperava, com a tenacidade do plebeu sôfrego, uma clientela rica, uma cadeira na Escola, um *coupé* para as visitas, uma mulher loura com dote".

E depois completou:

— Como você pode ver, o atributo da loira é o dote, ou seja, o dinheiro que possibilitará a Julião comprar o tal do *coupé*. Enfim, a mulher é um objeto, como a carruagem...

— Gozado esse negócio de loira — observou Renato. — Tem uma hora em que o Eça fala que o Jorge se apaixonou pelos cabelos loiros da Luísa...

— É bem no começo do romance, não é? — perguntou Alice, voltando a consultar o livro. — Achei, aqui está:

Conheceu Luísa, no verão, à noite, no Passeio. Apaixonou-se pelos seus cabelos louros, pela sua maneira de andar, pelos seus olhos castanhos muito grandes. No inverno seguinte foi despachado, e casou. Sebastião, o seu íntimo, o bom Sebastião, o Sebastiarrão, tinha dito, com uma oscilação grave da cabeça, esfregando vagarosamente as mãos:

— Casou no ar! Casou um bocado no ar!

— Observe como acontece o casamento deles. "No ar", como comenta o Sebastião. É uma relação muito superficial, isso porque Jorge é atraído apenas pela aparência dela — voltou a dizer a Alice, balançando a cabeça. — Quanto à questão dos cabelos louros, o Eça se utiliza aqui de uma sinédoque.

— Sinédoque? O que que é isso?

— É um tipo de figura de linguagem em que o autor usa a parte pelo todo. No caso, o cabelo louro, a parte, representa o todo, que é a Luísa.

— Mas pra que isso?

— É um recurso literário usado pra reforçar a ideia de que Jorge é atraído especialmente pelos cabelos loiros de Luísa.

Renato quis saber, curioso:

— Por que o Eça tinha essa mania de loiras?

— Agora você me pegou.

Alice voltou a refletir para tentar encontrar uma boa resposta.

— Sabe que essa sua pergunta dá o que falar? O Eça tinha mesmo mania de loira. Escreveu um conto chamado "Singularidades duma rapariga loura"; a personagem feminina do romance *Os Maias*, que se chama Maria Eduarda, é loira; a Luísa, aqui, no caso, é loira. Vou arriscar uma teoria: geralmente, as pessoas relacionam as loiras com pessoas frágeis, espiritualmente elevadas, angelicais. No fundo, é uma ironia do Eça: a Luísa tem uma aparência de santa, mas, no fundo, ela tem um fogo...

Ela parou de falar, olhou bem para o rapaz.

— Espera aí, você nem começou a ler o romance direito, e eu estou contando o que não devia!

Ele riu, divertido:

— Legal! Assim, não preciso ler mais.

— Deixa de ser tonto, garoto! Justo agora, que você está descobrindo coisas interessantíssimas. Vá em frente. Estou gostando de ver.

— Falando em descobrir coisas, Alice — perguntou Renato —, você disse que a reunião do capítulo II era muito importante. Ainda não me explicou por quê.

— Você ainda não percebeu? O que acontece nessa cena é que o Eça reúne na casa de Jorge, à exceção de Sebastião que é um sujeito íntegro, honesto, tipos medíocres, preconceituosos, com um gosto artístico duvidoso. O que ele faz é algo muito comum no realismo: mostrar que o meio social deforma as pessoas e determina o caráter delas.

Renato bocejou. Alice deu uma risada.

— Já sei, meu querido, já sei. Você está cansado deste papo, né? Que tal se eu lhe fizesse um delicioso hambúrguer com bastante maionese e *bacon*?

• 19 •

Em casa de Maria Luísa

Finalmente, para alegria de Renato, Maria Luísa melhorou e voltou para a escola na quarta-feira. Mas ela ainda não estava bem de todo. Muito pálida, tinha fundas olheiras e parecia ter emagrecido.

Apesar disso, vinha preocupada com o seminário. Logo que encontrou os colegas, já foi perguntando:

— Vocês prepararam alguma coisa?

— Estou quase no fim do livro — respondeu Selma.

Mas, vendo a cara de desconsolo do Fefa e principalmente da Vânia, balançou a cabeça, como se dissesse "vocês, hein!". Mas o que disse realmente foi outra coisa:

— Tudo bem. Vamos nos reunir hoje à tarde sem falta?

— Ih, não vai dar tempo. Não é melhor a gente falar com a dona Mara e pedir mais um adiamento? — comentou o Fefa.

— Bem, pessoalmente, acho que não devemos adiar outra vez o seminário. E vocês? — disse, consultando os colegas.

Renato olhava fascinado para ela. Puxa vida, nem parecia que a Maria Luísa tinha acabado de sair de uma pneumonia! E foi isso o que fez ele dizer, cheio de determinação:

— Concordo com a Maria Luísa. Acho que a gente deve apresentar o seminário na data marcada.

— Se a gente for mal, a culpa é de vocês — a Vânia choramingou.

— A gente vai se sair bem — consolou-a Maria Luísa. — É só ler o livro e...

— Esse é que é o problema — reclamou o Fefa. — O livro é o mó grosso, e a história não anda.

— Mas a dona Mara quer que a gente faça o seminário e ponto final — tornou a insistir Maria Luísa. — Não adianta ficar reclamando. Portanto, hoje, às duas, em casa.

— Pô, eu preferia resumir o resumo do Natinho... — ainda achou de protestar o Fefa, provocando o riso de todo o grupo.

* * *

Quando Renato chegou, todos já estavam à sua espera. Ele sentou-se, e a Maria Luísa começou a falar:

— Tenho umas ideias sobre o seminário que gostaria de expor pra vocês.

— Vai em frente — o Fefa fez sinal de positivo.

Renato, que estava sentado a um canto, com o livro e o caderno no colo, fixou os olhos nela. Que prazer ele sentia em poder contemplar Maria Luísa, que falava com a segurança de uma professora:

— Em primeiro lugar, acho que a gente precisa estudar as características de cada personagem, ver como elas se relacionam, a influência que exercem uns sobre os outros e, depois, como se forma o triângulo amoroso entre Jorge, Luísa e Basílio...

Como estava encantadora, apesar de magra e pálida! Renato não conseguia reprimir seu fascínio. Os cabelos loiros e curtos emolduravam o rosto oval, cuja pele era aveludada como a de um pêssego. Sob os óculos de míope, os olhos castanhos, de longas pestanas, brilhavam cheios de vida. Os lábios abriam-se numa linha harmoniosa, suave.

Talvez por tudo isso é que ela o atraísse tanto. Há quanto tempo não via uma garota tão meiga, mas que não deixava de ser inteligente e sensível. Que diferença entre ela e a Cláudia! A beleza exuberante daquela morena com quem havia ficado, do ponto de vista de Renato, era facilmente suplantada pela beleza reservada, pela delicadeza de Maria Luísa.

De repente, a Maria Luísa interrompeu seu devaneio:

— E o Renato, o que acha disso?

Pego de surpresa, ele murmurou:

— Ahn?!

E ficou calado, sem conseguir responder. Isso porque, entretido com a aparência da garota, não a tinha ouvido falar. Ela deu um suspiro e explicou:

— Eu dizia que talvez a gente devesse mostrar a influência do meio sobre as personagens. Desse modo, acho que seria importante descrever o espaço, a sociedade. Você concorda com isso?

Como que acordando de um sonho, ele respondeu:

— Claro que concordo.

De início, timidamente, depois, com mais confiança, começou a falar de tudo o que havia discutido com Alice a respeito do romance: o namoro de Luísa, o casamento com Jorge, o meio social que frequentavam, descrevendo cada personagem e suas características principais.

Mostrou também como Luísa, convivendo com aquele grupo de amigos medíocres e sob a influência imoral de Leopoldina e, sobretudo, de Basílio, facilmente se deixaria levar pelo adultério. Como ele havia feito anotações no caderno, acabou por expor o assunto com muita segurança e clareza.

Quando acabou de falar, o Fefa observou, admirado:

— Pô, cara! Parece que você decorou o livro!

Renato olhou para a Maria Luísa, como se esperasse a recompensa de um elogio, mas ela apenas disse:

— Acho que é por aí... O Renato tem razão. Luísa e Jorge recebem muita influência dessa gente medíocre. Mas falta muita coisa ainda pra analisar. Que tal se a gente dividisse o que cada um vai apresentar no seminário? Eu poderia falar do enredo.

Ela se voltou para Renato:

— Você pode ficar com as personagens?

Ele balançou a cabeça, dizendo que sim, embora sentisse um frio na barriga.

— Eu quero falar do espaço — adiantou-se a Selma.

Maria Luísa continuou a distribuir as tarefas:

— O Fefa pode analisar o narrador...

— Narrador? Legal! Sempre fui fissurado num narrador — debochou ele.

Sem dar nenhuma confiança para aquilo, Maria Luísa disse:

— E a Vânia fica com as características realistas do romance...

— Características do realismo?! Pô que pé! — a Vânia choramingou.

Nisso, a mãe de Maria Luísa entrou trazendo uma bandeja com suco de laranja e lanches, que deixou sobre a mesa. E, ao sair, observou:

— Quero ver você comendo tudo...

— Mamãe, não tô com fome... — ela protestou.

— Comendo tudo, mocinha!

Depois do lanche, Maria Luísa quis retomar logo o trabalho. Mal começou a falar, porém, sua mãe voltou a entrar na sala e interrompeu a reunião:

— Vocês me desculpem, mas ela precisa repousar um pouco.

— Mãe!

— Não quero ver você tendo uma recaída. Foram ordens expressas do médico. Disse que você devia descansar à tarde.

Renato deixou a reunião com um misto de alívio e tristeza. Alívio porque, pela primeira vez na vida, conseguira expor um assunto de trabalho em grupo com tanta segurança. Contudo, não entendeu a reação fria de Maria Luísa. Será que não havia conseguido desfazer a má impressão do primeiro encontro? Daí vinha sua tristeza, que aumentara ainda mais porque não tinha conseguido conversar com ela em particular, como desejava.

Nesse estado de espírito confuso, chegou em casa. Havia pensado que, expondo tudo o que sabia sobre o romance, o que não era pouco, iria provocar a incontestável admiração da garota. E isso, do ponto de vista dele, seria meio caminho para conquistar o coração dela...

• 20 •

O coração de Maria Luísa

A essa altura, o leitor deve estar curioso por saber o que realmente acontecia no coração de Maria Luísa.

Ela de fato havia ficado admirada com a exposição de Renato. Quanta coisa inteligente ele tinha dito! Isso e outras coisas mais foi o que ela pensou depois da reunião. A análise das personagens estava perfeita. Sobretudo aquelas questões a respeito das leituras, dos hábitos de Luísa, de seus cabelos loiros, da admiração que a personagem começara a sentir por Basílio, influenciada pelos livros românticos que havia lido.

A sombra da dúvida passou pela cabeça de Maria Luísa: será que ele não tinha visto tudo aquilo em outra apostila? Mas ela afastou logo essa ideia, porque achou que não seria justo prejulgá-lo. Procurou então desviar o pensamento para o seminário. Contudo, ao longo daquele dia, não deixou de pensar no garoto.

Na verdade, ao contrário do que Renato pensava, ele havia mexido bastante com ela. Naquele primeiro dia de aula, quando ele se aproximou e disse "Oi, sou o Renato", ela ficou realmente impressionada com o garoto. E isso a deixou intimidada.

Depois, a insistência de Renato em conversar com ela, somada ao fato de que já tinha namorada, e uma namorada tão linda como a Cláudia, piorou ainda mais as coisas. Afinal, o que ele queria dela?

Acontece que a Maria Luísa era uma garota bem diferente das outras com quem Renato costumava ficar. Para ela, o amor era algo que se deveria levar muito a sério. E, justamente por causa desse seu modo de ser, há bem pouco tempo tinha sofrido uma grande desilusão. Alguns meses antes de se mudar para São Paulo, apaixonara-se por um garoto e sentira-se a pessoa mais feliz do mundo. Porém, descobrir que ele, enquanto a namorava, tinha outra garota, deixou-a muito magoada.

Esse incidente a marcou demais. Qualquer um poderia até achar isso um exagero. Alguns de seus amigos diziam-lhe que, nos dias de hoje, ficar com uma garota, ficar com outra ou mesmo ficar com uma garota e outra ao mesmo tempo é a coisa mais comum. Mas não para Maria Luísa, que, no fundo, era uma pessoa muito sensível, romântica.

Foi por isso que rejeitou Renato quando ele tentou se declarar a ela. Afinal, o que ele queria? Só ficar? Fazer como aquele garoto, que dizia amá-la, para depois deixá-la como um sapato que se usou e não se quer mais?

Na realidade, isso tudo não estava muito claro na cabeça de Maria Luísa, o que a deixava mais assustada ainda. Quantas vezes não percebeu Renato olhando para ela na sala de aula! E, não bastasse isso, depois de decepcioná-la com uma apostila idiota, vinha com aquela bela análise dos capítulos iniciais de *O primo Basílio*!

Quanta coisa surpreendente ele tinha percebido no romance, Maria Luísa reconhecia, admirada. Sentiu então uma enorme vontade de elogiá-lo, mas sufocara essa vontade. Ela agia desse modo talvez por desconfiar de que Renato havia feito aquilo para chamar sua atenção. E ela queria distância, porque não confiava nele.

Afinal, o que queria dela um garoto tão lindo quanto aquele que, segundo as colegas, podia ter todas as garotas que desejasse?

Naquela tarde, Maria Luísa não repousou tranquila como a mãe havia recomendado. Passou a maior parte do tempo refletindo sobre a situação que a deixava inquieta, confusa. Lembrar-se do rosto de Renato, que mostrara a maior decepção por não receber dela um elogio, fazia-a sentir-se mal.

— Mas o que eu podia fazer, meu Deus? — indagou-se em voz alta.

Abrir-se, entregar-se e, depois, fazer papel de boba? Não, não podia confiar em Renato... Mas, dentro de si, bem lá no fundo, algo lhe dizia que deveria confiar. Que a tristeza estampada na face dele era mesmo sincera.

Se Maria Luísa pudesse saber que Renato estava apaixonado por ela e que isso havia provocado uma profunda transformação nele... Mas infelizmente ela não tinha como saber, pois a vida às vezes provoca esses desencontros.

• 21 •

Alice, cadê você?!

Renato vivia mais um momento de intensa tristeza e aflição. E isso, como o leitor deve estar desconfiado, fez que ele corresse até a casa de Alice em busca de socorro.

— Então, Natinho? Como foi de reunião? Você arrebentou, né? — perguntou ela, quando ele entrou.

Renato balançou a cabeça e comentou, chateado:

— Que nada! Arrebentei droga nenhuma...

— Ué, o que aconteceu?

Renato resumiu rapidamente os incidentes na casa da Maria Luísa. Alice, depois de prestar muita atenção no que ele lhe contava, observou:

— Bem, pode ter acontecido dela não ter desejado mostrar que gostou do que você disse.

Ele balançou a cabeça.

— Eu acho que ela não gostou nada, nada. Parecia que eu tava falando um monte de abobrinha...

— Pode ser que sim, pode ser que não. Mas estou inclinada a dizer que ela deve ter gostado, porque acredito que você não disse nenhuma besteira.

— Então, por que ela...?

— ... não te elogiou? Talvez sejam coisas da alma feminina, algo que vocês homens não entendem.

Renato olhou fixamente para ela com o rosto cheio de tristeza.

— Pô, eu tava sendo sincero, e ela faz isso comigo?

Alice deu um sorriso irônico.

— Natinho, por acaso você já parou pra pensar um pouco sobre sua fama?

— Minha fama? Que fama? — ele se fez de desentendido, pondo a mão no peito.

— Ora, todo mundo sabe que você é o maior galinha...

Um sorriso se formou nos lábios de Renato, mas ele logo o reprimiu e disse, abaixando a cabeça:

— Mas eu parei com isso...

— E você, por acaso, refletiu que talvez essa sua fama tenha causado uma má impressão na Maria Luísa?

Surpreso, ele ergueu a cabeça.

— Ué, por quê?

Pela primeira vez, desde que o havia conhecido, Alice falou com severidade ao cunhado:

— Escuta uma coisa, meu querido. Você acha que todas as mulheres são como a tontinha da Cláudia? Que basta fazer isso — ela deu um estalo com o dedo —, pra que venham correndo atrás de você?

De vergonha, ele não replicou.

— Algumas, talvez poucas, são bem diferentes do comum. Por isso, exigem muito mais que uma carinha bonita e uma conversa sedutora!

Alice notou em Renato uma expressão tão triste que sentiu pena dele. Por isso, abrandou o tom de voz que tinha elevado:

— Esse grupo de mulheres, dentre as quais tenho certeza de que Maria Luísa se inclui, são como joias raras. Pra tê-las, é preciso certo sacrifício, meu querido...

— Mas... mas o que eu posso fazer?

— Muito simples: mostrar-se bem melhor do que você é, fazê-la notar que você não é apenas um garotão lindo.

— Muito obrigado pelo garotão lindo.

— Seja sincero: você acha mesmo que até agora você tem sido mais do que um garotão lindo e com uma boa conversa?

Na hora, Alice se arrependeu de ter dito aquilo, porque pensou que estava sendo dura demais com ele. Porém, para sua surpresa, Renato balançou a cabeça, concordando:

— Você tem razão. Sou um imbecil. Sou um completo idiota.

— Eu não disse isso.

— Mas pode dizer. Sou um imbecil, um idiota, mas acho que posso mudar.

— Claro que pode! — ela exclamou, entusiasmada.

— Então, o que devo fazer?

Alice, como se desviasse o assunto, comentou:

— Você reparou que a maioria das personagens de *O primo Basílio* só vive das aparências?

— Ué, o que o livro do Eça tem a ver comigo?

— Tem muito a ver. Vamos lá, responda!

— Bem, eu acho que sim...

— Quase todos eles vendem uma imagem: a Luísa, ainda que inconscientemente, se apresenta como uma mulher casta, pura, uma dona de casa exemplar; o Jorge, como uma pessoa forte, decidida; o Basílio, como aventureiro e conquistador; o Conselheiro Acácio, como um intelectual; e assim por diante...

Renato olhava para Alice com a boca aberta, como se ainda não tivesse entendido aonde ela queria chegar.

— Pois, meu querido, diferentemente deles, você deve ser o que é e não viver de aparências.

— Como assim?

— Você tem que mostrar que não é o que aparenta ser, que tem muitas qualidades. Que é um garoto sensível, inteligente.

— Não me acho inteligente.

— Mas é, só falta mostrar.

— E fazer isso como?

Alice sentou-se do lado dele, abraçou-o:

— Meu querido, no presente momento, só tem um jeito. É você ler o livro até o fim e fazer um belo seminário.

— Será que sou capaz?

— Claro que é capaz! É só meter as caras! E conte comigo pra te ajudar!

Renato se levantou, mas, como que tomado por uma dúvida, disse, hesitante:

— E se ela não quiser saber de mim, mesmo eu me saindo muito bem no seminário?

— O "se" não existe. Ao contrário da Luísa, que vive no mundo da imaginação, você tem que lidar com a realidade. Mas, no caso de a Maria Luísa não querer saber de você, e isso é algo de que eu duvido, então é ela que não o merece. Aí, o melhor é partir pra outra. Como prefiro não lidar com hipóteses, o negócio é você começar a trabalhar sem perda de tempo.

• 22 •

Uma firme decisão

Depois daquela conversa, Renato voltou para casa todo confuso, dividido entre sentimentos contrários. Ora acreditava que deveria se entregar de corpo e alma à leitura do livro, para conquistar Maria Luísa, ora achava que o esforço não valeria a pena, que Maria Luísa continuaria inacessível, fizesse ele o que fosse.

Caso prevalecesse o segundo pressentimento, ele refletiu que o melhor era procurar uma outra garota ou voltar com a Cláudia. Mas sentiu um arrepio só de pensar nisso. Voltar com a Cláudia? A chata da Cláudia?! Perder a Maria Luísa?

E a ideia de se afastar daquela garota lhe causou uma angústia tal que o levou a tomar a firme decisão de ler *O primo Basílio*:

— Vou ler esse livro de qualquer modo! Ela vai ver se não sou capaz.

* * *

Entrando em casa, viu que já eram quase cinco horas. Mesmo assim, pegou o romance de Eça de Queirós e foi sentar-

-se no sofá de costume, novamente tendo ao lado o pacote de bolachas escondido sob uma almofada.

Retomou então o capítulo III, do qual já havia lido as páginas iniciais. Nele, Eça narrava o primeiro encontro entre Luísa e Basílio, depois de muitos anos. Logo após se cumprimentarem, ela ficava admirada com a nova aparência do primo:

Luísa olhava-o. Achava-o mais varonil, mais trigueiro. No cabelo preto anelado havia agora alguns fios brancos; mas o bigode pequeno tinha o antigo ar moço, orgulhoso e intrépido; os olhos, quando ria, a mesma doçura amolecida, banhada num fluido. Reparou na ferradura de pérola da sua gravata de cetim preto, nas pequeninas estrelas brancas bordadas nas suas meias de seda. [...] Voltava mais interessante!

O primo provocava nela gratas e sensuais recordações, ao falar dos tempos em que, quando crianças, costumavam passar as férias numa bela quinta:

Ela corou. Lembrava-se bem da adega, com a sua frialdade subterrânea que dava arrepios! A candeia de azeite pendurada na parede alumiava com uma luz avermelhada e fumosa as grossas traves cheias de teias de aranha, e a fileira tenebrosa das pipas bojudas. Havia ali às vezes, pelos cantos, beijos furtados...

Na sequência, Basílio se punha a contar sobre suas viagens pela Europa e pelo Oriente. Renato reparou que ele, muito convencido, procurava impressionar a prima, falando de suas relações aristocráticas, de suas aventuras:

Quis saber então o que tinha feito em Jerusalém; se era bonito.

Era curioso. Ia pela manhã um bocado ao Santo Sepulcro; depois do almoço montava a cavalo... Não se estava mal no hotel; inglesas bonitas... Tinha algumas intimidades ilustres...

Falava delas, devagar, traçando a perna; o seu amigo o patriarca de Jerusalém, a sua velha amiga a princesa de La Tour d'Auvergne! [...]

Se tinha corrido perigos?

Decerto. Uma tempestade de areia no deserto de Petra! Horrível! Mas que linda viagem, as caravanas, os acampamentos! Descreveu a sua toilette; *uma manta de pele de camelo às listras vermelhas e pretas, um punhal de Damasco numa cinta de Bagdá, e a lança comprida dos beduínos.*

Em seguida, falando de sua viagem ao Brasil, mostrava toda sua falta de respeito pela terra que o havia acolhido, comentando preconceituosamente:

Ela sorriu, perguntou:

— E no Brasil?

Um horror! Até fizera a corte a uma mulata.

— E por que te não casaste?...

Estava a mangar! Uma mulata!

Em contraposição, pedante como ele só, tentava seduzir Luísa com as imagens de uma Paris suntuosa, chique:

De resto, pelo que tinha visto, as mulheres em Lisboa cada dia se vestiam pior! Era atroz! Não dizia por ela; até aquele vestido tinha chic, *era simples, era honesto. Mas em geral era um horror. Em Paris! [...] Que deliciosas, que frescas as* toilettes *daquele verão! Oh! Mas em Paris! [...] Tudo é superior! Por exemplo, desde que chegara ainda não pudera comer. Positivamente não podia comer! — Só em Paris se come — resumiu.*

Luísa voltava entre os dedos o seu medalhão de ouro, preso ao pescoço por uma fita de veludo preto.

— E estiveste então um ano em Paris?

Um ano divino. Tinha um apartamento lindíssimo, que pertencera a Lord Falmouth, Rue Saint Florentin; tinha três cavalos...

Basílio, com seu jeito de conquistador barato, cativava Luísa contando sobre os lugares exóticos, elegantes, que ela só conhecia nos romances românticos. O resultado disso era que ela, sob a influência do primo, começava a sonhar com um mundo ilusório, bem diferente daquele banal em que vivia:

— Que vida interessante a do primo Basílio! — pensava. — O que ele tinha visto! Se ela pudesse também fazer as suas malas, partir, admirar aspectos novos e desconhecidos, a neve nos montes, cascatas reluzentes! Como desejaria visitar os países que conhecia dos romances — a Escócia e os seus lagos taciturnos, Veneza e os seus palácios trágicos; aportar às baías, onde um mar luminoso e faiscante morre na areia fulva; e das cabanas dos pescadores, de teto chato, onde vivem as Grazielas[1]*, ver azularem-se ao longe as ilhas de nomes sonoros! E ir a Paris! Paris sobretudo! Mas, qual! Nunca viajaria decerto; eram pobres; Jorge era caseiro, tão lisboeta!*

[1] Graziela, personagem de *Confidências*, do poeta francês Alphonse de Lamartine (1790-1869).

Como seria o patriarca de Jerusalém? Imaginava-o de longas barbas brancas, recamado de ouro, entre instrumentações solenes e rolos de incenso! E a Princesa de La Tour d'Auvergne? Devia ser bela, de uma estatura real, vivia cercada de pajens, namorara-se de Basílio. [...] O primo Basílio fazendo flutuar o seu bornous[2] *branco pelas planícies da Terra Santa, ou em Paris, direito na almofada, governando tranquilamente os seus cavalos inquietos — davam-lhe a ideia de uma outra existência mais poética, mais própria para os episódios do sentimento.*

E Renato observou também que, enquanto Luísa, romântica e ingênua, refugiava-se nesses espaços imaginários, Basílio, grosseiramente, só tinha em mente seduzi-la:

No fundo da escada acendeu o charuto, devagar.

— Que bonita que ela está! — pensou.

E arremessando o fósforo, com força:

— E eu, pedaço de asno, que estava quase decidido a não vir ver! Está de apetite! Está muito melhor! E sozinha em casa; aborrecidinha talvez!...

Ao pé da Patriarcal fez parar um coupé *vazio; e estendido, com o chapéu nos joelhos, enquanto a parelha esfalfada trotava:*

— E tem-me o ar de ser muito asseada, coisa rara na terra! As mãos muito bem tratadas! O pé muito bonito!

Revia a pequenez do pé, pôs-se a fazer por ele o desenho mental de outras belezas, despindo-a, querendo adivinhá-la... A amante que deixara em Paris era muito alta e magra, de uma elegância de tísica; quando se decotava viam-se as

---

[2] Albornoz, espécie de manto com capuz, de origem árabe.

saliências das suas primeiras costelas. E as formas redondinhas de Luísa decidiram-no:

— A ela! — exclamou com apetite. — A ela, como S. Tiago, aos mouros!

Renato suspendeu um pouco a leitura, começou a mastigar uma bolacha e a refletir sobre o que tinha lido. As cenas, os diálogos, os personagens pareciam tão vivos em sua cabeça que ele podia até imaginar as feições de Luísa, de Basílio. "Como o Eça de Queirós escrevia bem!", era forçado a reconhecer. Por isso mesmo, quis logo voltar ao livro para saber como e quando Basílio a conquistaria.

Mais adiante, no entanto, ele reparou que Eça deixava o belo mundo das personagens principais e concentrava toda sua atenção nas empregadas da casa: a arrumadeira Juliana e a cozinheira Joana. Com frieza, com riqueza de detalhes e como que para estabelecer um contraponto com os amplos e confortáveis aposentos dos patrões, descrevia os cômodos apertados em que elas habitavam:

Juliana foi buscar o candeeiro de petróleo, subiu ao quarto. Dormia em cima, no sótão, ao pé da cozinheira. [...]

O quarto era baixo, muito estreito, com o teto de madeira inclinado; o sol, aquecendo todo o dia as telhas por cima, fazia-o abafado como um forno; havia sempre à noite um cheiro requentado de tijolo encandescido. Dormia num leito de ferro, sobre um colchão de palha mole coberto de uma colcha de chita [...].

Eça de Queirós descrevia também, de uma maneira minuciosa e crua, a vida miserável de Juliana, condenada, desde sempre, a um trabalho pesado e enfadonho:

Servia, havia vinte anos. Como ela dizia, mudava de amos, mas não mudava de sorte. Vinte anos a dormir em cacifos[3]*, a levantar-se de madrugada, a comer os restos, a vestir trapos velhos, a sofrer os repelões das crianças e as más palavras das senhoras, a fazer despejos, a ir para o hospital quando vinha a doença, a esfalfar-se quando voltava a saúde!... Era demais! Tinha agora dias em que só de ver o balde das águas sujas e o ferro de engomar se lhe embrulhava o estômago. [...]*

A necessidade de se constranger trouxe-lhe o hábito de odiar; odiou sobretudo as patroas, com um ódio irracional e pueril. Tivera-as ricas, com palacetes; e pobres, mulheres de empregados, velhas e raparigas, coléricas e pacientes; — odiava-as a todas, sem diferença. É patroa e basta! Pela mais simples palavra, pelo ato mais trivial! Se as via sentadas: — Anda, refestela-te, que a moura[4] *trabalha! Se as via sair: — Vai-te, a negra cá fica no buraco! Cada riso delas era uma ofensa à sua tristeza doentia; cada vestido novo uma afronta ao seu velho vestido de merino tingido. Detestava-as na alegria dos filhos e nas prosperidades da casa. Rogava-lhes pragas.*

Não foi difícil para Renato perceber que a vida de Juliana criava um contraste com a de Luísa. Enquanto a patroa tinha uma existência cômoda, fácil, ociosa, a empregada, sem ter compensação alguma ou momentos de descanso, só trabalhava. E ele percebeu também que as duas pareciam não se tolerar. Será que iria acontecer um conflito entre elas?

---

[3] O mesmo que cubículo, aposento muito pequeno.

[4] Feminino de mouro, habitante do norte da África. No sentido figurado, refere-se a indivíduo que trabalha demais.

Renato parou de ler e ficou refletindo sobre um aspecto do livro que não podia entender bem. Por que Eça de Queirós nunca ia direto ao ponto? Por que interrompia a história de amor entre Luísa e Basílio, descrevendo tanto as coisas e falando de outras personagens? Seria para criar suspense? Se fosse para isso, tinha conseguido, porque ele estava cada vez mais curioso para saber quando Luísa e Basílio se tornariam amantes.

Fechou o livro e se espreguiçou. Olhando para o relógio da parede, reparou que era tarde e que havia lido uma boa parte do romance. Puxa vida, nem tinha visto o tempo passar! Depois de ter enfrentado as páginas iniciais de *O primo Basílio* e mergulhado fundo no cotidiano e no íntimo das personagens, foi forçado a reconhecer que estava achando a história cada vez mais interessante.

• 23 •

Sem rumo

Na sexta, ao chegar à escola, Renato encontrou o Felipe.

— Qualé, *brother*? Anda sumido...

— Tô estudando...

— Estudando?! Você?! — admirou-se o amigo. — Deixa de ser mentiroso. Vai ver que você tá dando uns catos numa nova mina.

— Antes fosse — comentou Renato, suspirando. — Daqui a duas semanas, a gente tem que apresentar um seminário.

— Tá bom, tá bom. Mas, sábado, você vai no luau da turma, né?

— Vou ver se posso.

— Pô, cara, virou cê-dê-efe?

Felipe não desgrudava, falando sem parar! E Renato querendo entrar logo para encontrar Maria Luísa.

— Vamos indo, cara, a aula vai começar.

Positivamente, o Felipe não reconhecia mais o Renato. Faltava aos treinos de salão, não saía de casa e, quando aparecia numa balada, ficava quieto num canto, parecendo desinteressado de tudo. E, agora, ainda por cima, estava doidão para não chegar atrasado na aula...

— Tem coisa no pedaço... Ele deve tá ligado numa mina — murmurou Felipe, balançando a cabeça.

* * *

Renato pediu licença ao professor e entrou na classe. Ao passar por Maria Luísa, disse:

— Oi.

Como ela estava concentrada na aula, respondeu ao cumprimento bem baixinho, sem tirar os olhos do caderno. Isso fez com que ele ficasse chateado, porque talvez esperasse que a menina erguesse a cabeça e sorrisse para ele.

Esse é o sinal mais evidente de que uma pessoa está apaixonada, caro leitor. Quando alguém vive uma situação dessas, fica fragilizado. E, assim, começa a interpretar de um modo equivocado as reações da pessoa a quem ama.

Era justamente o que estava acontecendo com Renato. Só o fato de ele interpretar como rejeição uma reação natural, sem intenções, de Maria Luísa, confirmava isso.

Ele então se sentou em seu lugar, mas não conseguiu prestar atenção à aula. De instante a instante, disfarçadamente, olhava na direção dela, com a esperança de que a garota se voltasse e sorrisse para ele. Mas como Maria Luísa continuasse de cabeça baixa, ele ficava triste, desorientado.

"Qual é a dela? Por que me trata assim tão friamente?", ele pensava, já dominado por um leve sentimento equivocado de raiva, de despeito. Em razão disso, no intervalo, ao contrário do que desejava, não foi conversar com ela.

Com esse firme propósito, ficou com a turma de sempre, conversando sobre futebol, surfe, o luau do sábado. Mas, a bem da verdade, não prestou atenção em nada. E de vez em quando se surpreendia olhando para a garota, que conversava animadamente com as amigas. Ah, como gostaria de estar ali ao lado dela, ouvindo de perto suas palavras.

• 24 •

Plano de ação

Naquela sexta-feira, Renato voltou para casa com um plano na cabeça. Iria ler *O primo Basílio* até o fim e, com a ajuda de Alice, fazer a melhor análise possível do romance. Mas, na próxima reunião na casa da Maria Luísa, quinta-feira da outra semana, ficaria calado, não diria uma só palavra. E, depois, para surpresa dela, daria um *show* no seminário.

— Ela vai ver quem é o panacão! — ele disse, todo agitado.

Chegando em casa, almoçou correndo e já foi pegar o livro.

— Ei, o que aconteceu? Você está doente? — indagou, admirado, o pai, quando passou pela sala de saída para o trabalho.

É que ele nunca tinha visto o filho com um livro na mão... Ainda mais logo depois do almoço. Renato não ouviu o pai nem mesmo prestou atenção à Bia, que veio com a conversa de sempre:

— Aquela namorada que te *odia* ligou, mas eu disse que você não tá a fim, e ela disse que te odia ainda mais...

Entretido com a história, Renato lia o capítulo IV. Nele, Basílio continuava com sua teia de sedução. Voltava a visitar

Luísa, era apresentado aos amigos da casa, tocava e cantava músicas românticas e modinhas brasileiras.

Quando, afinal, se encontravam a sós, sem conseguir segurar seu desejo, tentava beijá-la:

Ele balbuciava com os braços estendidos:

— Luísa! Luísa!

— Não, Basílio, não!

E na sua voz havia o arrastado de uma lamentação, com a moleza de uma carícia.

Ele então não hesitou, prendeu-a nos braços.

Luísa ficou inerte, os beiços brancos, os olhos cerrados — e Basílio, pousando-lhe a mão sobre a testa, inclinou-lhe a cabeça para trás, beijou-lhe as pálpebras devagar, a face, os lábios depois muito profundamente; os beiços dela entreabriram-se; os seus joelhos dobraram-se.

Mas de repente todo o seu corpo se endireitou, com um pudor indignado, afastou o rosto, exclamou aflita:

— Deixa-me, deixa-me!

Viera-lhe uma força nervosa; desprendeu-se, empurrou-o; e passando as mãos abertas pela testa, pelos cabelos:

— Oh meu Deus! É horrível! — murmurou. — Deixa--me! É horrível!

Após a saída de Basílio, Luísa recebia uma carta de Jorge. Renato reparou que, sendo uma pessoa fraca, muito suscetível aos palpites do próximo, esse fato a fez reativar sua consciência moral por um breve instante:

Àquela hora Luísa recebia uma carta de Jorge. Era de Portel, com muitas queixas sobre o calor, sobre as más esta-

lagens; histórias sobre o extraordinário parente de Sebastião, — saudades e mil beijos...

Não a esperava, e aquela folha de papel cheia de uma letra miudinha, que lhe fazia reaparecer vivamente Jorge, a sua figura, o seu olhar, a sua ternura, deu-lhe uma sensação quase dolorosa. Toda a vergonha dos seus desfalecimentos cobardes, sob os beijos de Basílio, veio abrasar-lhe as faces. Que horror deixar-se abraçar, apertar!

Mas Renato também observava que, não demorava muito, maleável como era, Luísa desculpava a atitude de Basílio, vendo erroneamente amor onde só havia desejo:

E no fim onde estava o mal? Ele jurara-lhe que aquele amor era casto, passando-se todo na alma. Tinha vindo de Paris, o pobre rapaz, assim lho jurara, para a ver, uma semana, quinze dias. E havia de dizer-lhe: — Não voltes; vai-te?

Na próxima visita, Basílio então procurava mudar de tática, convidando-a para passear de carruagem pelo campo. Luísa, muito perturbada, dividida entre sentimentos contraditórios, não dizia que sim, nem que não.

Como não tinha escrúpulos, ele ia solapando seus valores morais. Para isso, emprestava a ela livros pornográficos e cantava músicas picantes. E o pior de tudo é que lhe contava a vida íntima e imoral das pessoas da sociedade corrupta, como se aquilo fosse a coisa mais normal do mundo:

Mas no dia seguinte, muito habilmente, Basílio não falou no passeio, nem no campo. Não falou também do seu amor, nem dos seus desejos. Parecia muito alegre, muito su-

perficial; tinha-lhe trazido o romance de Belot [1], A mulher de fogo. *E sentando-se ao piano, disse-lhe canções de* café--concerto, *muito picantes; imitava a rouquidão acre e canalha das cantoras; fê-la rir.*

Depois falou muito de Paris, contou-lhe a moderna crônica amorosa, anedotas, paixões chics. *Tudo se passava com duquesas, princesas, de um modo dramático e sensibilizador, às vezes jovial, sempre cheio de delícias. E, de todas as mulheres de que falava, dizia recostando-se: Era uma mulher distintíssima, tinha naturalmente o seu amante...*

O adultério aparecia assim um dever aristocrático. De resto a virtude parecia ser, pelo que ele contava, o defeito de um espírito pequeno, ou a ocupação reles de um temperamento burguês...

Renato percebeu também que, além de deformar o caráter maleável da prima, Basílio fazia um jogo, fingindo que a deixava, que ia embora de Portugal. Luísa, apaixonada por ele, incapaz de resistir, afinal, sob o impacto de mais uma visita de Leopoldina e de um grande sentimento de solidão, entregava-se ao primo:

As conversas de Leopoldina e as lembranças das suas felicidades voltavam-lhe a cada momento; uma pontinha de champagne *agitava-se-lhe no sangue. O relógio do quarto começou lentamente a dar nove horas — e de repente a campainha retiniu.*

Teve um sobressalto; não podia ser ainda Juliana! Pôs--se a escutar, assustada. Vozes falavam à cancela.

---

[1] Adolphe Belot (1829-1890). Escritor francês, autor de comédias e folhetins, como *A mulher de fogo* (1872) e *Enlouquecida de amor* (1885).

— Minha senhora — veio dizer Joana baixo —, é o primo da senhora que diz que se vem despedir...

Abafou um grito, balbuciou:

— Que entre!

Os seus olhos dilatados cravaram-se febrilmente na porta. O reposteiro franziu-se; Basílio entrou, pálido, com um sorriso fixo.

— Tu partes! — exclamou ela surdamente, precipitando-se para ele.

— Não! — E prendeu-a nos braços. — Não! Imaginei que me não recebias a esta hora, e tomei este pretexto.

Apertou-a contra si, beijou-a; ela deixava, toda abandonada; os seus lábios prendiam-se aos dele. Basílio deitou um olhar rápido, em redor, pela sala, e foi-a levando abraçado, murmurando: Meu amor! Minha filha! Mesmo tropeçou na pele de tigre, estendida ao pé do divã.

— Adoro-te!

— Que susto que tive! — suspirou Luísa.

— Tiveste?

Ela não respondeu; ia perdendo a percepção nítida das coisas; sentia-se como adormecer; balbuciou: Jesus! Não! Não! Os seus olhos cerraram-se.

Em vez de se arrepender, mais adiante, Luísa, num raciocínio tortuoso, começava a justificar o adultério:

[...] Não fora culpa sua. Não abrira os braços a Basílio voluntariamente!... Tinha sido uma fatalidade; *fora o calor da hora, o crepúsculo, uma pontinha de vinho talvez... Estava doida, decerto. E repetia consigo as atenuações tradicionais: não era a primeira que enganara seu marido; e muitas era apenas por vício; ela fora por paixão... Quantas mulheres viviam um amor ilegítimo e eram ilustres, admiradas! Rainhas mesmo tinham amantes. E ele amava-a tanto!...*

Na sequência, Basílio mandava um bilhete a Luísa, comunicando-lhe que havia arranjado um lugar, a que dera o nome de *Paraíso*, para se encontrarem. Luísa, que andava muito aflita por não localizar uma carta que escrevera ao amante e se extraviara, com isso deixava a aflição de lado e recuperava a felicidade:

Aquela precipitação amorosa em arranjar o ninho — *provando uma paixão impaciente, toda ocupada dela — produziu-lhe uma dilatação doce do orgulho; ao mesmo tempo que aquele* paraíso *secreto, como num romance, lhe dava a esperança de felicidades excepcionais; e todas as suas inquietações, os sustos da carta perdida se dissiparam de repente sob uma sensação cálida, como flocos de névoa sob o sol que se levanta.*

Romântica como sempre, levada por sua emotividade, Luísa imaginava o local do encontro como um lugar cheio de encanto, onde a paixão pudesse florescer:

Desejaria antes que fosse no campo, numa quinta, com arvoredos murmurosos e relvas fofas; passeariam então, com as mãos enlaçadas, num silêncio poético; e depois o som de água que cai nas bacias de pedra daria um ritmo lânguido aos sonos amorosos... Mas era num terceiro andar, — quem sabe como seria dentro? Lembrava-lhe um romance de Paulo Féval[2] *em que o herói, poeta e duque, forra de cetins e tapeçarias o interior de uma choça; encontra ali a sua amante; os que passam, vendo aquele casebre arruinado, dão um pen-*

[2] Paulo Féval (1817-1887), romancista romântico francês, autor de *Mistérios de Londres*, entre outras obras.

samento compassivo à miséria que decerto o habita — enquanto dentro, muito secretamente, as flores se esfolham nos vasos de Sèvres *e os pés nus pisam* Gobelins[3] *veneráveis! Conhecia o gosto de Basílio — e o* Paraíso *decerto era como romance de Paulo Féval.*

Renato, já habituado com a proverbial ironia de Eça de Queirós, não se surpreendeu nem um pouco quando, parágrafos adiante, viu como era, em realidade, o tal do *paraíso* arrumado por Basílio:

A carruagem parou ao pé de uma casa amarelada, com uma portinha pequena. Logo à entrada um cheiro mole e salobro enojou-a. A escada, de degraus gastos, subia ingrememente, apertada entre paredes onde a cal caía, e a umidade fizera nódoas. No patamar da sobreloja, uma janela com um gradeadozinho de arame, parda do pó acumulado, coberta de teias de aranha, coava a luz suja do saguão. E por trás de uma portinha, ao lado, sentia-se o ranger de um berço, o chorar doloroso de uma criança. [...]

Luísa viu logo, ao fundo, uma cama de ferro com uma colcha amarelada, feita de remendos juntos de chitas diferentes; e os lençóis grossos, de um branco encardido e mal lavado, estavam impudicamente entreabertos...

Fez-se escarlate; sentou-se, calada, embaraçada. E os seus olhos, muito abertos, iam-se fixando — nos riscos ignóbeis da cabeça dos fósforos, ao pé da cama; na esteira esfiada, comida, com uma nódoa de tinta entornada; nas bambinelas da janela, de uma fazenda vermelha, onde se viam

[3] Sèvres: tipo de porcelana de grande qualidade; Gobelins: tapeçarias ricas.

passagens; numa litografia, onde uma figura, coberta de uma túnica azul flutuante, espalhava flores voando [...].

— Foi o que se pôde arranjar — disse-lhe Basílio. — E foi um acaso; é muito retirado, é muito discreto... Não é muito luxuoso...

— Não — fez ela, baixo. — Levantou-se, foi à janela, ergueu uma ponta da cortininha de cassa [4] *fixada à vidraça; defronte eram casas pobres; um sapateiro grisalho batia a sola a uma porta; à entrada de uma lojita balouçava-se um ramo de carqueja ao pé de um maço de cigarros pendentes de um barbante; e, a uma janela, uma rapariga esguedelhada*[5] *embalava tristemente no colo uma criança doente que tinha crostas grossas de chagas na sua cabecinha cor de melão.*

Renato ficava impressionado com a habilidade descritiva de Eça de Queirós. Acumulando detalhes sobre detalhes do aspecto sujo, desleixado do quarto, da miséria, da pobreza, ao redor daquele lugar, sobretudo na referência à criança cheia de feridas, o escritor conseguia expressar como ninguém todo o horror que Luísa sentia, ao ver seus sonhos se desmancharem. Era como se ela, de repente, caísse do paraíso que construíra em sua imaginação e mergulhasse no inferno da realidade mais sórdida.

E, por isso mesmo, ele sentiu um súbito dó de Luísa, enganada assim pelo malandro do primo. Mas ao mesmo tempo sentiu raiva dela. Será que não percebia que Basílio era um malandro? Também, lendo aquelas porcarias de romances sentimentais... Sempre entrava naquela de sonhar com uma coisa e, depois, cair na real.

---

[4] Espécie de tecido fino, transparente.

[5] O mesmo que "desalinhada", "descabelada".

• 25 •

Um luau, outras leituras

No sábado, Renato resolveu ir ao luau com Felipe. Passou na casa do amigo e saíram caminhando pela rua. Mas ele não prestou atenção alguma à conversa do colega. Todo distraído, tinha o pensamento voltado para Maria Luísa.

— ... e sabe com quem ela tava? — repentinamente Felipe perguntava, tocando-lhe o braço.

Renato voltava à realidade.

— Ahn? Quem?

— Ei, cara! Você tá dormindo?

— Tava pensando numas coisas... Mas de quem que você tava falando mesmo?

— Da Cláudia, pô! Agora, ela tá ficando com o Marcelo.

— Com o Marcelo? — disse o Renato com indiferença. — Pensei que ela tava ainda com o Betão.

— Com o Betão? Ela deu o fora nele. Nunca vi o mó trouxa. É um mala o cara.

O luau foi num barzinho na rua Itapura. Toda a turma estava lá: a Selma, a Vânia, o Fefa, a Mary, o Tico e um primo dele, o Deco, que tocava violão. Renato se distraiu um pouco, ouvindo música. Entretanto, algumas vezes viajava nos pensamentos, com Maria Luísa na cabeça. Como gostaria de estar com ela!

* * *

No domingo, pela manhã, por insistência de Felipe, foi jogar futebol de salão. Porém, à tarde, não resistiu: deitou-se no sofá e retomou a leitura. Isso porque estava ansioso para saber o que aconteceria entre Luísa e Basílio.

Já no sétimo capítulo, Eça mostrava como o relacionamento entre Luísa e Basílio sofria altos e baixos. Ora se entregavam à paixão, ora ela caía em si, reconhecendo a grosseria, a indiferença do amante.

E Renato chegava então à parte em que Luísa, irritada, discutia com Juliana, e a empregada, furiosa, fazia a patroa saber que roubara cartas e bilhetes que ela havia escrito a Basílio:

— Saia! — berrou Luísa. — Saia imediatamente! Nem mais um momento em casa!

Juliana pôs-se diante dela, e com palmadas convulsivas no peito, a voz rouca:

— Hei de sair se eu quiser! Se eu quiser!

— Joana! — bradou Luísa.

Queria chamar a cozinheira, um homem, um polícia, alguém! Mas Juliana descomposta, com o punho no ar, toda a tremer:

— A senhora não me faça sair de mim. A senhora não me faça perder a cabeça! — E com a voz estrangulada através dos dentes cerrados: — Olhe que nem todos os papéis foram pra o lixo!

Luísa recuou, gritou:

— Que diz você?

— Que as cartas que a senhora escreve aos seus amantes, tenho-as eu aqui!

Renato notava que Luísa, perdendo a noção de valores, caía no mesmo nível de Juliana, gritando como ela e tendo que recorrer ao auxílio da cozinheira Joana para expulsá-la de casa. Na sequência, Juliana, tendo a patroa nas mãos, planejava extorquir dinheiro dela. Luísa, em desespero, pensava em fugir de casa, mas, quando comunicava sua decisão a Basílio, via novamente seus sonhos serem destruídos pelo amante:

Basílio ergueu-se bruscamente:

— Pois tu pensaste em fugir, em te meter comigo num vagão, vir para Paris, viver comigo, ser a minha amante?

— Saí de casa para sempre, aí está o que eu fiz!

— Mas vais voltar para casa! — exclamou ele, quase com cólera. — Por que havias de tu fugir? Por amor? Então devíamos ter partido há um mês; não há razão agora para nos irmos. Para quê, então? Para evitar um escândalo? Com um escândalo maior, não é verdade? Um escândalo irreparável, medonho! Estou-te a falar como um amigo, Luísa!!

E depois desse discurso, arrumando uma desculpa, Basílio ia embora para Madri, deixando Luísa nas mãos da empregada.

Foi aí que Renato entendeu por que Eça de Queirós dava tanto destaque à Juliana. Percebia que o escritor se servia dessa personagem para criticamente trazer Luísa de volta à realidade, mostrando que ela vivia num mundo de ilusão:

— Pois que lhe parece? — exclamava. — Não que eu como os restos e a senhora os bons-bocados! Depois de trabalhar todo o dia, se quero uma gota de vinho, quem mo dá? Tenho de o comprar! A senhora já foi ao meu quarto? É uma

enxovia![1] *A percevejada é tanta que tenho de dormir quase vestida! E a senhora, se sente uma mordedura, tem a negra de desaparafusar a cama, e de a catar frincha por frincha. Uma criada! A criada é o animal. Trabalha se pode, se não rua, para o hospital. Mas chegou-me a minha vez — e dava palmadas no peito, fulgurante de vingança. — Quem manda, agora, sou eu!*

Luísa soluçava baixo.

— A senhora chora? Também eu tenho chorado muita lágrima! Ai! Eu não lhe quero mal, minha senhora, certamente que não! Que se divirta, que goze, que goze! O que eu quero é o meu dinheiro.

Ao saber que Juliana queria dinheiro para devolver as cartas ("Ou me dá seiscentos mil-réis; ou eu não largo os papéis"), Luísa entrava logo em desespero:

Que noite para Luísa! A cada momento acordava num sobressalto, abria os olhos na penumbra do quarto, e caía-lhe logo na alma, como uma punhalada, aquele cuidado pungente: que havia de fazer? Como havia de arranjar dinheiro? Seiscentos mil-réis! As suas joias valiam talvez duzentos mil-réis. Mas depois, que diria Jorge! Tinha as pratas... Mas era o mesmo!

Frágil como era, incapaz de enfrentar a dura realidade, Luísa começava a imaginar meios para fugir da situação; ora se via indo para um convento, ora pensava em pedir ajuda a Leopoldina e chegava mesmo a jogar na loteria. Por fim, já completamente desesperada e sem ver saída para a situação, concentrava-se no grande amigo da família, Sebastião.

[1] Enxovia: o mesmo que cadeia.

Com esse propósito, chamava-o à sua casa, disposta a lhe pedir dinheiro. Mas, na última hora, cheia de pavor, recuava, desistindo da ideia.

Com o retorno de Jorge, Juliana começou a chantagear Luísa. De início, pediu para mudar de quarto. Depois, vieram pedidos de uma esteira para o novo aposento, de uma cômoda e de roupas:

> — *Agora, se a senhora me quiser ajudar com alguma coisa para sair...*
>
> *E Luísa começou a* vesti-la.
>
> *Deu-lhe um vestido roxo de seda, um casaco de casimira preta, com bordados a* soutache[2]. *E receando que Jorge estranhasse as generosidades, transformava-as para ele as não reconhecer; mandou tingir de castanho o vestido; ela mesma por sua mão pôs uma guarnição de veludo no casaco. Trabalhava para ela, agora! — Como acabaria tudo aquilo, Santo Deus!*

Na sequência do romance, Renato percebeu que Eça criava uma situação de futuro conflito, quando levou Jorge a começar a estranhar a súbita elegância da empregada ("Esta Juliana anda uma janota! Prospera a olhos vistos"). Mas, não demorava muito, reparou no comportamento de Juliana, nos nervos à flor da pele de Luísa e na desordem que reinava na casa. Esse trecho da narrativa fez com que Renato desconfiasse que algum desastre ainda iria acontecer.

---

[2] Pequena trança de lã, seda ou algodão usada como enfeite em peças de vestuário.

• 26 •

Mais um papo com a cunhada

Na segunda, Renato evitou de todas as maneiras encontrar-se com Maria Luísa. E isso evidentemente não foi muito fácil, porque a coisa que mais desejava era conversar com ela. Todavia, como estava firme em seu propósito...

À tarde, rumou para a casa de Alice, ansioso em conversar com ela sobre os últimos capítulos de *O primo Basílio* que havia lido.

— Tem toda razão, é isso mesmo! — disse a cunhada, entusiasmada, ao ouvi-lo explicar o porquê da importância da personagem da empregada no romance. — A Juliana serve de instrumento para o Eça apontar o que há de errado na vida do casal.

Ela estava muito feliz com o progresso de Renato. Não só porque ele vinha entendendo melhor o que lia, mas também pelo seu entusiasmo com a leitura. Realmente, o Eça de Queirós (e o amor pela Maria Luísa...) havia feito milagres!

Quando ele lhe falou sobre o *paraíso*, que parecia uma coisa e era outra completamente diferente, Alice comentou:

— Sim, sim... O *paraíso* funciona como um símbolo de toda a situação. Luísa mergulha de corpo e alma numa paixão que lhe parece maravilhosa, mas que, na realidade, é muito ruim: nada lhe traz de positivo, a não ser mostrar a falsidade de sua vida vazia.

E arrematou:

— De fato, a vida dessa gente é como se diz no ditado popular: "Por fora, bela viola; por dentro, pão bolorento".

— Mas isso não acontece só com a Luísa, né?

— O que você acha? — provocou Alice.

— Eu acho que não...

— Por exemplo?

— Ah, o Jorge, que parece tão bonzinho, paquera a mulherada na província...

— Ué, eu não lembro disso.

— Pois devia lembrar — disse Renato, com um ar triunfante. — No capítulo VIII, o Sebastião recebe uma carta em que Jorge conta que paquera a mulher do delegado. Sem querer, ele mostra a carta pra Luísa, e ela fica doida.

— Que coisa, hein? Incoerente como ela só; trai o marido, mas, quando sabe que o marido a trai...

Alice bateu palmas:

— Muito bem, Natinho, você já está conhecendo o romance melhor que eu. Mas, fala pra mim: quem mais você acha que finge ser uma coisa e é outra bem diferente?

— Ah, o Conselheiro Acácio, por exemplo. No capítulo XI, a gente fica sabendo que ele dorme com a empregada... A Juliana também: tem o maior ódio da patroa, mas o sonho dela é ser patroa e ter uma empregada pra explorar.

— Pois bem, sabe por que o Eça de Queirós faz isso? Simplesmente porque deseja mostrar o eterno conflito entre o ser e o parecer. As pessoas muitas vezes são hipócritas. Gostam de mostrar que são honestas, virtuosas, mas, por dentro, é o que se vê...

Alice e Renato conversaram tão animadamente sobre o romance naquela tarde que ela quase perdeu a hora da aula na faculdade.

— Sete e quinze! Meu Deus, vou chegar atrasada! — ela disse, olhando para o relógio.

Renato saiu muito feliz dali. Agora, já estava dominando o romance como ninguém, e por isso mesmo, em sua cabeça, fervilhavam ideias, opiniões. Quanta coisa teria para dizer no seminário! Ah, a Maria Luísa iria ver o quanto ele era inteligente e sensível!

• 27 •

Cada um na sua

Na reunião de quinta-feira na casa da Maria Luísa, cumprindo a promessa que havia feito a si mesmo, Renato permaneceu calado o tempo inteiro. Embora já houvesse lido quase todo o romance e tivesse muitas opiniões sobre as personagens, recusou-se a falar. Mesmo quando Maria Luísa, em meio à discussão do grupo, se dirigiu a ele diretamente. Naquele momento estavam debatendo sobre o modo como Eça de Queirós contava a história:

— O que você acha disso, Renato?

Ele simplesmente deu de ombros, como se fingisse que não havia pensado naquilo ou que não havia lido o trecho. Mas, por dentro, estava agitado, doido para mostrar que não só havia lido quase todo o romance, como também que entendia muito cada detalhe.

Quando Maria Luísa comentou sobre o *paraíso*, aí então ficou maluco para explicar um aspecto que sabia muito bem. Mas permaneceu firme em seu propósito. E, assim, foi chato para ele ouvir a própria Maria Luísa explicar a ironia de Eça de Queirós:

— O *paraíso*, que na verdade é um lugar sujo e feio, representa o fim dos sonhos da Luísa. Ou melhor, é como se

Eça de Queirós quisesse mostrar que do céu ela cai diretamente no inferno...

— Acho que, se fosse hoje, o Basílio levava ela pra um motel, né? — disse o Fefa, zoando.

Foi uma risada geral da turma.

* * *

No decorrer da reunião, Maria Luísa voltou a lembrar o papel de cada um no seminário:

— Então, eu vou falar do enredo; o Renato, das personagens; a Selma, do espaço; o Fefa, do foco narrativo; e a Vânia, das características do realismo. Eu queria saber se todo mundo está preparado.

— Você tá brincando... — rebateu o Fefa. — Preparado? Tô mais por fora que o umbigo da Selma...

A turma caiu de novo na gargalhada, porque a garota estava mesmo usando uma calça de cintura bem baixa.

— Se vocês querem saber a verdade — disse a Vânia, insegura como ela só —, eu também tô por fora. O que eu vou falar de características realistas do romance?

— Pelo menos, vocês leram o livro até o fim? — perguntou Selma, que, mais aplicada que o Fefa e a Vânia, trazia várias folhas com anotações.

O Fefa olhou para a Vânia, a Vânia olhou para o Fefa.

— Bem... ler até que a gente leu quase todo o livro, mas eu tava conversando com a Vânia, e a gente não sabe como fazer a nossa parte. Esse negócio de foco narrativo... Pô, que bagulho mais complicado!

— Se é por isso — observou a Selma —, a gente ajuda, não é, Maria Luísa?

— Sem problema, podemos preparar o seminário juntos; depois, na hora, cada um expõe a sua parte.

Para surpresa de todos, repentinamente Renato se levantou e disse:

— Eu tô indo...

— Mas a gente ainda não acabou — observou Maria Luísa.

— Preciso ir.

Renato saiu, e a Selma perguntou:

— O que é que deu nele? Ficou tão quieto e agora sai assim, sem mais nem menos...

Embora Maria Luísa tivesse ficado preocupada com a atitude de Renato naquela tarde, estava mais preocupada ainda com o que o Fefa e, principalmente a Vânia, iriam dizer no seminário. Por isso mesmo, comentou, voltando logo ao trabalho:

— Bem, gente, vamos estudar agora o que devemos dizer sobre o foco narrativo e das características do realismo.

A reunião foi bem longa, invadindo grande parte da noite. Isso porque a Vânia estava muito nervosa, ameaçando chorar:

— Ai, eu não vou conseguir falar, eu não vou conseguir falar...

— Calma, Vânia, você vai conseguir, a gente ajuda — a Selma tratava de consolá-la.

Quando a reunião terminou, e a Maria Luísa se encontrou sozinha, ficou muito intrigada com o comportamento de Renato. Por que ele permanecera calado durante todo o tempo? Quando ela lhe perguntava alguma coisa, permanecia quieto em seu canto, como se não tivesse nada a ver com a reunião. "Será que não havia lido mais nada do romance e estava com vergonha de que percebessem isso?", ela se indagou.

Não, não podia ser. Disfarçadamente, certa hora, ela tinha olhado para o livro que ele trazia consigo e reparado que o marcador de páginas estava perto do fim. Mas por que então, ao contrário da reunião anterior, ele não tinha dito nada?

Outro fato que a vinha deixando intrigada: na escola, ele não mais a procurava. Mas, de longe, muitas vezes, ela o surpreendia olhando em sua direção.

E esse comportamento diferente do Renato, para falar a verdade, mexia com Maria Luísa. Ainda mais porque ela ouviu dizer que ultimamente ele andava muito estranho. Não só não vinha ficando com garota alguma, como também quando ia às baladas, permanecia quieto em um canto.

"Será que o Renato...?", ela começava a pensar, mas logo desmanchou o pensamento, dizendo em voz alta:

— Quer deixar de ser boba, Maria Luísa! Esse garoto está com armação pra cima de você...

Mesmo dizendo isso, naquela semana toda, ela não deixou de pensar nele.

• 28 •

Preparando o seminário

Renato passou o resto dos dias muito agitado. O seminário aconteceria na terça-feira da outra semana, e ele tinha ainda que preparar sua parte.

Como já sabemos, cada membro do grupo se incumbiria de um assunto na apresentação do seminário. E ele não queria fazer feio. Precisava, portanto, terminar a leitura do livro, organizar suas anotações e bater um papo final com Alice.

Com esse propósito, à tarde, Renato sentou-se no sofá de costume e voltou a ler o romance.

Do capítulo XI em diante, o romance crescia em intensidade dramática. A começar que Luísa, desesperada por arranjar dinheiro para calar Juliana, recorria ao auxílio de Leopoldina. A amiga, interesseira como sempre, marcava um encontro dela com um admirador, um banqueiro. Disposto a seduzi-la, o homem prometia-lhe o dinheiro, mas Luísa, cheia de pudor, recusava.

Enquanto isso, a situação dela ia ficando insustentável, porque Juliana se mostrava cada vez mais atrevida. Relaxada, não fazia mais o serviço de casa. Era Luísa quem lavava e passava a roupa da casa, enquanto a empregada descansava, chantageando-a, exigindo melhores colchões, alimentação especial, mais e mais roupas:

E no meio daquela prosperidade — Luísa definhava-se. Até onde iria a tirania de Juliana? Era agora o seu terror. E como a odiava! Seguia-a por vezes com um olhar tão intensamente rancoroso, que receava que ela se voltasse subitamente, como ferida pelas costas. E via-a satisfeita, cantarolando a Carta adorada, *dormindo em colchões tão bons como os seus, pavoneando-se na* sua *roupa, reinando na* sua *casa! Era justo, justos céus?*

Ao reparar no desleixo da empregada e ao surpreendê-la lendo jornal enquanto Luísa engomava roupas, Jorge, furioso, chamava a atenção da esposa, aumentando com isso a tensão em que ela já vivia.

E, no diálogo que se travava a seguir, Renato reparava como Eça de Queirós habilmente mostrava a extrema fragilidade de Luísa, que inventava desculpas para tentar justificar para Jorge o desleixo, a tirania de Juliana:

Luísa, atarantada, abaixou-se sobre o cesto da roupa lavada, começou a remexer, a desdobrar, a sacudir com a mão trêmula...

— Tu não podes fazer ideia do que aqui vai por fazer — ia dizendo. — É a limpeza, são os engomados, é um servição. A pobre de Cristo tem estado doente...

— Pois se está doente que vá para o hospital!

— Não, também não tens razão!

Aquela insistência em defender a outra, que se repoltreava embaixo na sua chaise-longue[1], *exasperou-o:*

— Dize cá, tu dependes dela? Havia de dizer que tens medo dela!

---

[1] Em francês, tipo de cadeira mais longa que serve para a pessoa esticar e apoiar as pernas.

— Ah! Se estás com esse gênio...! — fez Luísa com os beiços trêmulos, uma lágrima já nas pálpebras.

Mas Jorge continuava, muito zangado:

— Não, essas condescendências hão de acabar por uma vez! Ver aquele estafermo[2]*, com os pés para a cova, a prosperar em minha casa, a deitar-se nas minhas cadeiras, a passear, e tu a defendê-la, a fazer-lhe o serviço, ah! Não! É necessário acabar com isso. Sempre desculpas! Sempre desculpas! Se não pode que arreie. Que vá para o hospital, que vá para o inferno.*

Até que vinha a situação insustentável em que Jorge, depois de gritar com Juliana, ordenava que Luísa a despedisse. Seguia-se, no romance, uma cena de muita tensão e dramaticidade: Juliana, depois de insultar Luísa, ameaçava, ela mesma, ir embora, mas revelando tudo a Jorge.

Perdendo todo o respeito por si mesma, Luísa implorava para que a empregada voltasse atrás em sua decisão. Aproveitando-se disso, Juliana fazia suas exigências:

— E a senhora agora ouça!

O tom de Juliana era tão insultante, que Luísa ergueu-se como ferida.

E Juliana, ameaçando-a, do alto, com o dedo erguido:

— E a senhora agora é andar-me direita, senão eu lhas cantarei!...

E voltou as costas, batendo os tacões.

Em completo desespero, Luísa corria à casa de Sebastião em busca de auxílio:

---

[2] Pessoa feia, mal-arrumada.

Luísa subiu; sentia sons de piano; abriu violentamente a porta, e correndo para ele, apertando as mãos contra o peito, numa voz angustiosa e sumida:

— Sebastião, escrevi uma carta a um homem, a Juliana apanhou-ma. Estou perdida!

Ele ergueu-se devagar, assombrado, muito branco, viu-lhe o rosto manchado, o chapéu malposto, a aflição do olhar:

— Que é? Que é?

— Escrevi a meu primo — repetiu, com os olhos cravados nele, ansiosamente —, a mulher apanhou-me a carta... Estou perdida!

E sempre chorando, ela continuava a contar as infâmias de Juliana:

— Apanhou-me a carta, não sei como, por um descuido meu! Ao princípio pediu-me seiscentos mil-réis. Depois começou a martirizar-me... Tive de lhe dar vestidos, roupa, tudo! Mudou de quarto, servia-se de meus lençóis, dos finos. Era a dona da casa. O serviço quem o faz sou eu!... Ameaça-me todos os dias; é um monstro.

• 29 •

Nem heróis nem vilões

Embora estivesse curiosíssimo por saber se Sebastião iria mesmo resolver a situação de Luísa, Renato teve de interromper a leitura porque a mãe veio chamá-lo para jantar. Ele correu para a mesa e, ante os olhos espantados dos pais, logo esvaziou o prato e voltou para a sala.

— O que tem ele? — perguntou o pai. — Será que está doente? Não comeu quase nada!

A mãe deu de ombros e explicou:

— Parece que tem um trabalho pra escola.

— O Renato? Comendo pouco assim por causa de um trabalho de escola?

E o pai do Renato concluiu, debochando:

— Acho bom você levar ele ao médico...

Enquanto isso, Renato sentava-se no sofá e continuava a ler o livro. Voltando ao ponto em que havia interrompido a leitura, encontrava um pequeno diálogo entre Sebastião e Luísa, que o deixava intrigado. A mulher, muito triste, envergonhada com a situação dela, dizia ao amigo: "E vai fazer isso por mim, Sebastião, por mim, que fui tão má mulher...". Ao que Sebastião respondia: "Não há más mulheres, minha rica senhora, há maus homens, é o que há!".

"O que será que o Eça quer dizer com isso?", ele pensou. E uma ideia foi se formando em sua cabeça: será que o escritor não queria mostrar que, nessa sociedade, a mulher era considerada uma criança, incapaz de distinguir entre o bem e o mal?

Renato acabou achando que esse seu raciocínio estava correto, ao se lembrar de que, no início de *O primo Basílio,* Jorge havia recomendado que Sebastião cuidasse de Luísa, "porque ela é assim: esquece-se, não reflexiona. É necessário que a advirta, que lhe diga: alto lá, isso não pode ser!".

Assim se explicava de vez a importância de Sebastião no romance. Homem, honesto, íntegro, é quem deveria intervir para acertar uma situação complicada que Luísa, muito fraca e dependente dos outros, por si só não conseguia resolver.

Desse modo, no capítulo XIII, Sebastião inventava um estratagema: enquanto o casal se divertia, assistindo a uma peça no teatro, ia à casa deles, acompanhado de um policial. Lá, sob ameaças, conseguia reaver as cartas e bilhetes de Luísa. Juliana, vendo escapar a chance de conseguir dinheiro, começava a gritar, exasperada. E, nesse momento, tinha um ataque cardíaco e caía morta no chão:

Juliana então alucinada de raiva, com os olhos saídos das órbitas, veio para ele e cuspiu-lhe na cara!

Mas de repente a boca abriu-se-lhe desmedidamente, arqueou-se para trás, levou com ânsia as mãos ambas ao coração, e caiu para o lado, com um som mole, como um fardo de roupa.

Após o episódio, parecia que o cotidiano do casal voltava à normalidade. Livre de Juliana, Luísa procurava esquecer tudo o que havia se passado, dedicando-se a Jorge e a reconstruir sua vida amorosa.

Renato parou de ler um pouco. "Então, tudo se arranja no final da história", ele pensou, levantando o corpo e pegando uma bolacha do pacote. Luísa aprontava com o marido, fazia das suas e, no fim, o Sebastião dava um jeito na situação. Assim, como num conto de fadas, ela voltava a ficar numa boa com Jorge. E quem pagava o pato era a Juliana...

Renato tinha essa sensação porque, no capítulo XIV, Luísa, sob o choque das emoções, caía doente, porém logo se recuperava e começava a viver uma nova vida, sem preocupações:

Luísa ficou muito agradada com a criada nova. Fora Sebastião que a arranjara. Era uma rapariguita asseadinha e branca, com grandes olhos bonitos e pasmados, um ar amorável; chamava-se Mariana; e foi logo correndo dizer a Joana "que morria pela senhora! Tinha uma carinha de anjo! Que linda que era!" [...]

Luísa, quando ele saiu à tardinha, fechou-se no quarto, com a carteirinha de Juliana, correu os transparentes por precaução, acendeu uma vela, e queimou as cartas. As mãos tremiam-lhe; e via, com os olhos marejados de lágrimas, a sua vergonha, a sua escravidão irem-se, dissiparem-se num fumo alvadio! [1] *Respirou completamente! Enfim! E fora Sebastião, aquele querido Sebastião!*

Foi então à sala, à cozinha, ver a casa; tudo lhe pareceu novo, a sua vida cheia de doçura: abriu todas as janelas; experimentou o piano; rasgou mesmo em pedaços, por superstição, a música da Medjé, *que lhe dera Basílio; con-*

---

[1] Esbranquiçado.

versou muito com a Mariana; e saboreando o seu caldo de galinha de convalescente, com a face alumiada de felicidade:

— Que bem que vou passar agora! — pensava.

Mas Renato logo percebeu o quanto estava enganado, pois, na continuidade da leitura, se deu conta de que a história tomava um rumo bem diferente. Era como se Eça de Queirós, escritor muito hábil, provocasse uma falsa expectativa no leitor, de maneira a criar o suspense final do romance e, com isso, acentuar, ao mesmo tempo, o clima dramático e o efeito moral da obra. Desse modo, entrando no capítulo XIV, Renato vinha a saber que Luísa caía novamente de cama.

Mais adiante, numa ironia do destino, chegava pelo correio uma carta de Basílio. Como Luísa, bem antes de sua situação se resolver, escrevera ao primo, pedindo dinheiro, ele havia respondido com desculpas, fazendo levianamente comentários sobre a relação entre ambos. E justo essa carta vinha cair nas mãos de Jorge, que, assim, descobria o adultério da mulher.

— Ah, dessa ela não vai escapar — comentou Renato, entusiasmado, interessadíssimo em saber o que aconteceria agora a Luísa.

Jorge, cheio de raiva e desespero, não sabia o que fazer. Até que, não suportando mais a tensão, ao ver que a mulher estava melhor de saúde, decidia-se por lhe falar da carta:

— Pois bem, digo-te. Tu agora estás boa, podes ouvir... Luísa! Vivo num inferno há duas semanas. Não posso mais... Tu estás boa, não é verdade? Pois bem, que quer dizer isto? Dize a verdade!

E estendeu-lhe a carta de Basílio.

— O que é? — fez ela muito branca. E o papel dobrado tremia-lhe na mão.

Abriu-a devagar, viu a letra de Basílio, num relance adivinhou-a. Fixou Jorge um momento de um modo desvairado, estendeu os braços sem poder falar, levou as mãos à cabeça com um gesto ansioso como se sentisse ferida, e oscilando, com um grito rouco, caiu sobre os joelhos, ficou estirada no tapete.

Luísa, com o choque daquela revelação, tinha um desmaio e era tomada por uma febre altíssima. E, apesar de todos os cuidados médicos, sobretudo os de Julião, depois de muita dor, sem conseguir se recuperar, começava a agonizar, ante o desespero de Jorge.

Luísa morria: os seus braços tão bonitos, que ela costumava acariciar diante do espelho, estavam já paralisados; os seus olhos, a que a paixão dera chamas e a voluptuosidade de lágrimas, embaciavam-se como sob a camada ligeira de uma pulverização muito fina.

E, para arrematar a história, depois do enterro de Luísa, Eça de Queirós se servia de dois expedientes muito irônicos. Numa cena, ele mostrava o Conselheiro Acácio lendo parte do necrológio que escrevera, em memória de Luísa, para Julião: "Detende-vos, e olhai a terra fria! Ali jaz a casta esposa tão cedo arrancada às carícias do seu talentoso cônjuge. Ali soçobrou, como baixel[2] no escarcéu da costa, a virtuosa senhora".

Renato não pôde deixar de rir com os adjetivos "casta" e "virtuosa".

[2] Um tipo de barco a vela.

O outro expediente irônico acontecia quando Basílio voltava a Lisboa. Ao saber da morte de Luísa, comentava o fato com o amigo, o Visconde Reinaldo. Muito cínicos, chegavam à conclusão de que ela era apenas um objeto de prazer:

O Visconde Reinaldo, delicado, lamentava a pobre senhora, coitada, que se tinha deixado morrer por um tempo tão lindo! — Mas em resumo, sempre achara aquela vibração absurda...

Porque enfim fossem francos: que tinha ela? Não queria dizer mal "da pobre senhora que estava naquele horror dos Prazeres", mas a verdade é que não era uma amante chic*; andava em tipoias de praça; usava meias de tear; casara com um reles indivíduo de secretaria; vivia numa casinhola; não possuía relações decentes; jogava naturalmente o quino, e andava por casa de sapatos de ourelo*[3]*; não tinha espírito, não tinha* toilette*... que diabo! Era um trambolho!*

— Para um ou dois meses que eu estivesse em Lisboa... — resmungou Basílio com a cabeça baixa.

— Sim, pra isso talvez. Como higiene! — disse Reinaldo com desdém.

Renato fechou o livro e refletiu por algum tempo sobre o final do romance. Enquanto alguns personagens, como Luísa e Jorge, eram castigados, outros, como Leopoldina e Basílio, ficavam numa boa. E isso era justo? Que o Basílio continuas-

[3] *Tipoia de praça*: carro (pequeno, puxado por cavalos) de aluguel; *quino*: jogo de loteria; *sapatos de ourelo*: feitos de um tecido grosseiro, de material rústico.

se sua vida mansa, sem remorsos pelo que havia causado? Por que será que Eça de Queirós terminava a história daquele jeito?

Confuso, o jovem não sabia a resposta para a sua dúvida. E tinha o seminário pela frente... Ele se levantou, espreguiçando-se, e concluiu que, mais do que nunca, precisava conversar com Alice.

• 30 •

O grande dia

Na segunda-feira, logo depois da aula, como era de se esperar, Renato correu até a casa da cunhada. Estava muito ansioso, com as ideias fervilhando em sua cabeça.

— E aí, quando é o grande dia? — perguntou Alice, abrindo a porta.

— Amanhã.

— Amanhã? Mas, com certeza, você já leu todo o livro...

— Já, mas tenho ainda muitas dúvidas.

— Então, vamos lá — disse ela, sentando-se. — Sobre o que você vai falar?

— Sobre os personagens.

— Ótimo. Deixa ver o que você preparou.

Renato abriu o caderno e o entregou a Alice. Ela ficou surpresa com a quantidade de anotações que ele já havia feito. Mas ao mesmo tempo reparou que aquele material todo não estava organizado. Sabendo que isso poderia prejudicar o seminário, sugeriu:

— Escuta, querido, que tal botar ordem nisso tudo?

— Botar ordem? Como?

— Bem, a primeira coisa que você deve fazer é organizar os personagens em grupos. Por exemplo: personagens principais, personagens secundários. Em seguida, você pode assinalar os laços de parentesco entre elas, as classes sociais a que pertencem, a profissão que exercem.

— E o que mais? — perguntou ele.

— Ah, você pode falar também da relação entre as características psíquicas e físicas dos personagens e a função de cada um no romance.

— Função? Como assim?

— Nada é gratuito num romance. Cada personagem criado por um autor tem uma função específica na obra. Por exemplo, Leopoldina e Basílio servem para desencaminhar moralmente Luísa; Juliana se presta a interferir na vida da Luísa e trazê-la de volta à realidade. E assim por diante...

Renato refletiu um pouco e depois disse, balançando a cabeça:

— Ah, acho que entendi.

— Pois bem, organizando os tópicos do seminário desse modo, você poderá fazer uma bela exposição.

— Isso, se eu não falar nenhuma besteira...

— Duvido, meu cunhadinho.

Renato voltou a refletir um pouco, para, em seguida, observar:

— Tem uma coisa com que eu tô encucado...

— Que é?

— Com o final do livro. Acho que não gostei do jeito que o Eça termina a história.

— Não gostou por quê?

— Ah, a Juliana tem um ataque do coração e bate as botas; a coitada da Luísa morre; o Jorge fica na fossa. Enquanto isso, a pilantra da Leopoldina, que vive pondo chifres no marido, e o Basílio, que é o maior folgado, continuam a viver numa boa.

— Ué, o que você queria que o Eça fizesse?

— Sei lá. Que a Leopoldina levasse uma surra do marido ou que o Jorge e a turma dele pegassem o Basílio e dessem nele umas porradas...

Alice começou a rir.

— Bem, desse jeito, a gente teria um outro livro e talvez muito pior. Porque, na realidade, o final de *O primo Basílio* é bastante irônico, como é típico em Eça de Queirós. O que ele quer mostrar é que a vida é assim mesmo. Os pilantras, como a Leopoldina, o Basílio e mesmo o medíocre do Conselheiro Acácio, que, quase no final da obra, ganha uma condecoração do Governo, continuam a aprontar das suas. Já a pobre da Luísa...

— Mas isso é justo?

— Não é questão de justiça, querido. A vida é assim. No fundo, o Eça, com esse final, quer que nos indignemos, que botemos nossa consciência moral pra trabalhar, pra poder mudar as pessoas, a sociedade.

Alice foi à estante, pegou um dos volumes das obras completas de Eça de Queirós e o folheou. Quando encontrou o que queria, marcou a página e passou o livro para Renato:

— Falando em mudar a sociedade, talvez valesse a pena você ler uma carta que o Eça escreveu a um amigo, explicando o sentido moral de seu romance.

Renato pegou o livro. Estava muito agradecido a Alice. Quanta coisa ele havia aprendido com ela a respeito de *O primo Basílio*! Uma delas, a mais importante: o livro era interessante e gostoso de ler. Bastava ser esperto para ver o que o Eça contava nas entrelinhas.

• 31 •

O seminário

Renato voltou para casa e passou quase a noite inteira em claro. Isso porque estava muito preocupado com sua parte no seminário, que ainda não tinha terminado de preparar. Sentado à escrivaninha, releu suas anotações e, em seguida, lembrando do conselho de Alice, procurou colocar as ideias em ordem. Não se esqueceu também de ler a carta de Eça que ela havia recomendado. E assim lá se foram horas e horas de estudo.

Por isso mesmo, tendo dormido mal, na terça-feira estava muito tenso e cansado. Embora houvesse organizado cuidadosamente as anotações, tinha medo de esquecer alguma coisa importante e, desse modo, prejudicar os colegas no seminário.

Como haviam combinado, Maria Luísa foi a primeira do grupo a falar. Muito timidamente, começou a apresentar suas ideias e observações. De vez em quando, gaguejava. Interrompia então a exposição, dizendo toda sem graça:

— Desculpem, mas não foi isso que eu quis dizer...

No entanto, à medida que foi entrando mais fundo no assunto, recuperou a confiança. Não demorou muito, naquela sua voz delicada, suave, mas segura, fez um rápido resumo dos principais capítulos do livro, para, em seguida, mostrar como eles se organizavam:

— Não é difícil a gente perceber que Eça de Queirós alterna capítulos em que aparecem poucos personagens, dois ou três, com outros em que há pequenas reuniões, em que inclui muito mais personagens. Por exemplo, no primeiro capítulo, Jorge e Luísa são apresentados; um pouco depois, Juliana e Leopoldina.

Ela consultou as anotações:

— No segundo capítulo, por intermédio de uma reunião, Eça de Queirós nos apresenta o grupo que costuma frequentar a casa deles, aos domingos: Julião, dona Felicidade, o Ernestinho, o Conselheiro Acácio, o Sebastião.

Maria Luísa respirou fundo, para depois continuar:

— O ritmo da história, no começo, é bem lento, como se nada fosse acontecer, até que vêm os episódios da viagem do Jorge e da vinda de Basílio, quando, então, tudo se modifica. A história ganha em movimento e, portanto, em interesse com o romance dos dois, como se a Luísa começasse aí, nas cenas que se seguem, a realizar seus grandes sonhos.

"Como a Maria Luísa é inteligente!", pensava Renato, com os olhos fixos na garota, prestando a máxima atenção e procurando não perder uma só palavra dela. Ao mesmo tempo, sentia vergonha de sua exposição que viria logo a seguir. De seu ponto de vista, perto do que Maria Luísa dizia, o que ele tinha a apresentar não valia nada.

Depois de mostrar como a tensão crescia no romance, por meio da intensificação dos desejos de Luísa e de suas pequenas decepções, Maria Luísa aproveitou para desenhar na lousa um gráfico, com legendas, para explicar como Eça de

Queirós, habilmente, criava uma espécie de contraponto entre as expectativas da mulher e a grande desilusão que vinha a seguir:

1_______2 (a) 3_______4 (b) 5_______6 (c) 7_______8 (d) 9_______10

1-2: vida cotidiana e banal de Jorge e Luísa;

(a): partida de Jorge e chegada de Basílio;

3-4: Luísa deixa a normalidade e passa a viver no "Paraíso";

(b): Juliana revela o que sabe;

5-6: Luísa cai no "Inferno";

(c): intervenção do bom Sebastião;

7-8: Luísa volta a viver no "Paraíso";

(d): Jorge lê a carta de Basílio;

(9-10): Luísa mergulha de vez no "Inferno".

— Como a gente pode ver, Eça de Queirós procura criar suspense, alternando a narração de acontecimentos banais do cotidiano com a súbita quebra desses mesmos acontecimentos. Quando o leitor pensa que tudo vai se resolver da maneira mais fácil possível, ele dá a entender que a realidade é mais complicada, porque um incidente vem perturbar a ordem das coisas.

E Maria Luísa terminava sua exposição, dizendo que esse modo de contar uma história aparentemente cotidiana servia como crítica a homens e mulheres medíocres, sem valores morais sólidos e que só se excitavam com a fuga da realidade e o erotismo banal.

Quando Renato foi à frente para começar sua exposição, procurou se controlar ao máximo para não mostrar que estava nervoso. Mesmo assim, derrubou o caderno, espalhando as folhas com suas anotações.

"Calma, Renato", ele disse para si mesmo, enquanto catava os papéis.

O que ele mais temia naquele momento era fracassar. Mas para ele pouco importava a impressão que causasse nos colegas e na professora. Desejava, isto sim, era causar uma ótima impressão em Maria Luísa. Procurando controlar os nervos, fez na lousa um quadro, organizando os personagens, conforme as sugestões de Alice. E, depois, começou a explicar quais as características e as funções de cada um:

— O Jorge e a Luísa são os personagens principais. Em torno deles e do drama deles é que acontece toda a história, envolvendo mais e mais personagens de diferentes profissões. Alguns deles pertencem à burguesia, como a D. Felicidade, o Julião, o Sebastião, o Basílio; outros, à classe dos pobres, como a Joana, a Juliana, a tia Vitória que aconselha a Juliana.

Renato respirou fundo e concluiu o pensamento:

— Desse modo, a gente pode dizer que a história do casal serve de meio para que o Eça de Queirós critique a sociedade portuguesa da época. Ele quer mostrar que, nesse tipo de sociedade, o casamento não podia mesmo dar certo.

A professora Mara o interrompeu, observando:

— Explique melhor essa questão, Renato.

Diante do silêncio da classe, que seguia atentamente suas palavras, o jovem abriu o livro que a Alice lhe havia emprestado.

— Trouxe aqui uma carta que o Eça escreveu a seu amigo, o escritor Teófilo Braga, em que ele diz algo muito interessante. Prestem atenção: "Eu não ataco a família, ataco a família lisboeta — a família lisboeta produto do namoro, reunião desagradável de egoísmos que se contradizem".

A professora Mara insistiu:

— Daí...

Renato pensou rápido e completou:

— Daí que o que eu quero dizer é que o Eça era contra o tipo de família burguesa, em que o casamento acontece de qualquer jeito. O Jorge escolhe a Luísa porque se sente muito só, e Luísa nem sabe direito porque se casou com Jorge.

Maria Luísa ficou bastante surpresa em ver Renato falando aquilo tudo, uma vez que, na última reunião, tinha permanecido calado. Por que ele estava fazendo isso?

Renato dizia algumas coisas sobre os personagens em que ela não havia pensado e outras coisas em que ela tinha pensado, sim, mas sem ter encontrado respostas. Sobretudo quando ele se pôs a explicar o papel fundamental de alguns personagens secundários do romance.

A seguir, Renato escreveu algo na lousa que era o resultado de muitas reflexões feitas na noite anterior. E ele começou a expor as ideias um tanto hesitante, com um pouco de medo de que talvez estivesse dizendo besteira:

— O Julião e a Juliana... bem, acho que eles representam os excluídos da sociedade, que sentem uma grande inveja do casal. O Julião é um médico fracassado que deseja ser como Jorge, deseja ter o que Jorge tem, ou seja, a sua Luísa, "uma mulher loura com dote". A Juliana odeia Luísa, porque gostaria de ser como ela, de ser uma patroa e ter uma empregada pra explorar.

Ele se calou um instante, olhou para os colegas, para depois dizer:

— Reparem que até nos nomes esses dois são parecidos: Julião-Juliana...

Em seguida, ele escreveu na lousa:

Luísa	Jorge
+	+
Jorge	Luísa
(Jorge sofre ação de)	(Luísa sofre ação de)
Julião	Juliana

— Um instante, Renato — interrompeu dona Mara. — Interessante esse seu ponto de vista. Mas tenho uma dúvida: não é difícil ver que a Juliana efetivamente interfere na vida do casal, mas como você prova que Julião também interfere?

Renato, sem hesitar, continuou sua explicação:

— Interferir ele não interfere tanto quanto ela, mas não deixa também de ter participação na vida deles, principalmente no final, quando Luísa fica doente. O Julião cuida dela e começa a se sentir uma pessoa importante.

Para provar o que dizia, Renato abriu o livro e leu um trecho do capítulo XIV, em que Julião chama a atenção de Jorge por encontrá-lo chorando próximo ao leito de Luísa:

— Tu estás doido? Pois tu sabes que ela está num estado daqueles, e vais-te pôr a fazer-lhe cenas de lágrimas?

— Não me pude conter...

— Estoura. Eu estou a cortar-lhe a febre por um lado, e tu a dar-lha por outro? Estás doido!

Estava realmente indignado. Interessava-se por Luísa como doente. Desejava muito curá-la; e sentia uma satisfação em exercer o domínio de pessoa necessária naquela casa, onde as suas visitas tinham tido sempre uma atitude dependente; mesmo agora, ao sair, não se esquecia de oferecer negligentemente um charuto a Jorge.

— No começo do romance, se vocês se lembram, era o Jorge quem dava charutos ao Julião... Então, o Eça cria esse contraste entre personagens bem situadas na vida e personagens marginais. Mas, no fundo, ele quer dizer que não existe muita diferença entre elas. O Jorge tem que pôr a esposa nas mãos de um parente por quem não sente muito respeito; a Luísa se rebaixa, colocando-se sob o domínio de Juliana.

E, ganhando cada vez mais confiança, Renato falava tudo aquilo com enorme convicção, com tanta certeza!

"Meu Deus!", pensava Maria Luísa, "quanta coisa maravilhosa que o Renato viu no livro. E eu pensando que minha parte estava legal...". Mas ela observava isso sem nenhum sentimento de inveja ou despeito, pois estava efetivamente encantada.

Renato terminou de apresentar sua parte e foi se sentar.

• 32 •

Sucesso em equipe

Quando a Selma, o Fefa e a Vânia apresentaram sua parte do seminário, se não se saíram tão bem como Maria Luísa e Renato, pelo menos não fizeram feio. Isso porque Maria Luísa tinha orientado muito apropriadamente os colegas (pelo menos, o Fefa e a Vânia...), ensinando-os como deviam ler o texto, quais pontos, em cada cena do livro, deveriam ver destacados como fundamentais para a classe.

Selma, com bastante segurança, procurou analisar como era importante para Eça de Queirós a descrição do espaço:

— A gente pode ver que um personagem entra em casa, e o autor descreve como é a sala, quais são e como são os móveis, como se tentasse mostrar que o personagem fica refletido na decoração...

Ela também defendeu a ideia de que o ambiente, em *O primo Basílio*, sempre determinava os personagens:

— A Luísa mora numa rua horrível, cheia de gente fofoqueira, que não tem o que fazer... Sua casa é frequentada por pessoas, como a Leopoldina e Basílio, que exercem má influência sobre ela. O mesmo acontece com a cidade de Lisboa, pequena, e onde as pessoas sabem tudo da vida de todo mundo.

Na vez do Fefa, seguindo as orientações de Maria Luísa, ele ressaltou que o narrador de *O primo Basílio* era de terceira pessoa, onisciente e onipresente:

— Vejam como o romance começa: "Tinham dado onze horas no *cuco* da sala de jantar. Jorge fechou o volume de Luís Figuier que estivera folheando devagar". Parece que tem alguém vendo o Jorge e contando tudo o que ele faz.

Fefa consultou novamente as anotações:

— O narrador é onisciente porque sabe de tudo o que acontece na história, e onipresente porque está em todos os lugares. Por exemplo: o narrador entra na cabeça de cada personagem e, ao mesmo tempo, os acompanha quando eles vão de um lugar pro outro.

Depois, ele procurou mostrar como o autor, em sua objetividade, chamava a atenção para a realidade cotidiana:

— Enquanto narra a história, o narrador conta tudo nos mínimos detalhes, como a gente pode ver num trecho como este:

Um vasto sofá ocupava quase a parede do fundo; fora decerto de repes[1] *verde, mas o estofo coçado, comido, remendado, tinha agora, sob largas nódoas, uma vaga cor parda; as molas partidas rangiam com estalidos melancólicos; a um dos cantos, numa cova que o uso cavara, dormia todo dia um gato; e um dos lados da madeira queimada revelava que fora salvo de um incêndio.*

— Parece que a gente tá vendo o sofá velho, rasgado e manchado. E quando o Eça fala das pessoas é a mesma coisa. Ele descreve também os detalhes da aparência delas, como

---

[1] Tecido usado para estofamento de móveis.

o cabelo, a pele, a cor dos olhos, o tipo de roupa... A gente pode ver isso na Luísa, na dona Felicidade, no Basílio.

Fefa abriu novamente o livro e explicou:

— Mas o mais interessante é que o narrador é onisciente. Além de contar a história, também relata o que cada personagem pensa e sente, como faz com Luísa:

> *De resto ela mesma se esforçava por desenvolver aquela paixão achando nela a compensação inefável das suas humilhações. Como lhe viera* aquilo? *Porque sempre o amara, decerto, reconhecia-o agora, — mas não tanto, não tão exclusivamente! Nem ela sabia. Envergonhava-se mesmo, sentindo vagamente naquela violência amorosa pouca dignidade conjugal; suspeitava que o que tinha era apenas um* capricho. *Um capricho por seu marido!*

Por fim, na vez da Vânia, ela tremia de medo. Falava gaguejando, esquecendo das coisas, mas ajudada pelos colegas do grupo foi até o fim. E, assim, fez um apanhado geral do que os colegas haviam dito e, em seguida, resumiu as principais características realistas de *O primo Basílio*:

— O Eça de Queirós quis fazer uma crítica à sociedade. Escolhe então uma família comum e mostra a influência do meio sobre ela. Vocês devem ter reparado que até o romance de Luísa e Basílio é tratado sem romantismo. Quero dizer, ela pensa que é uma coisa tipo romântica, mas, na verdade, não é. Vocês sabem como é... O Eça...

Vânia engasgou, como se não soubesse o que dizer, mas, consultando as anotações, continuou a explicar:

— Outra coisa importante é o monte de descrição que tem no livro. Vocês viram, né? O que tem de descrição... Isso porque todo escritor realista achava que devia mostrar as coisas como elas são, sem enfeitar nada, como se o romance fosse uma foto. Com isso, Eça se torna “subjetivo”, em vez de “objetivo”.

— O contrário, Vânia — corrigiu Selma.

— Oops! Isso mesmo: “objetivo”, em vez de “subjetivo”, porque não quer dar sua opinião sobre as coisas. E, por fim, vale também a pena dizer que os realistas eram contra os românticos porque achavam que eles fugiam da realidade, como é o caso da Luísa.

Quando Vânia terminou de falar, a professora Mara, toda entusiasmada, exclamou, batendo palmas:

— Gente, que beleza de seminário!

E, depois de fazer pequenos comentários sobre um ou outro tópico que poderia ser mais bem desenvolvido, concluiu:

— Pessoal, vocês estão de parabéns! Fora essas coisinhas que comentei, acho que não tenho mais nada a dizer, porque vocês foram capazes de explicar coisas muito importantes sobre o romance!

A aula terminou, e a turma cercou o grupo do Renato e da Maria Luísa:

— Pô, vocês arrebentaram, hein!

— Gente, de onde vocês tiraram essas ideias?

— Vocês deram a maior lição pra mestra!

Carlão, que era muito preguiçoso, abraçava o Renato e dizia:

— Obrigado, *brother*. Você me livrou a cara.

— Livrei a sua cara, por quê?

— Você acha que eu ia ler o livro? O mó grosso, o mó chato. Do jeito que vocês explicaram, nem vou ter que ler nada pra prova...

Só depois que o Carlão se afastou, Renato foi se dar conta de que Maria Luísa não estava por perto. Para onde ela teria ido?

Passando no meio dos colegas, ele saiu à sua procura. Chegando no pátio, olhou para um lado, para o outro, e nada. Encontrando uma de suas amigas, perguntou:

— Ô, Vanessa, você não viu a Maria Luísa?

— Acho que ela já foi embora.

Renato saiu correndo atrás da garota. Se tivesse sorte, ainda a alcançaria na rua, ele pensou.

• 33 •

E quem não gosta de final feliz?

Saindo pelo portão do colégio, Renato não a viu nas proximidades. "Será que ela virou à direita ou à esquerda?", ele se perguntou, o coração batendo acelerado. Qual seria o motivo de tanta aflição? Na verdade, nem mesmo Renato sabia. O que sabia é que, como nunca, desejava falar com Maria Luísa.

Lembrando-se, então, de que ela deveria ter virado à esquerda para ir para casa, começou a correr nessa direção. E para sua alegria, mal dobrou a esquina, encontrou-a caminhando mais à frente pela calçada.

— Maria Luísa! Maria Luísa! — gritou com todas as forças, como se temesse perdê-la.

Ela se voltou, assustada.

— Você tá indo pra casa? — Quando chegou junto dela, se arrependeu de ter feito aquela pergunta estúpida. Claro que ela estava indo para casa!

Maria Luísa ficou um instante sem responder, mas depois disse baixinho:

— Ah, fiquei de sair com mamãe...

Quanta coisa ele gostaria de dizer para Maria Luísa... Dizer que ela tinha dado um *show*, que a parte dela no seminário havia sido uma maravilha, que ela... Mas ele não conseguiu dizer nada disso. Ficou como um bobo, diante da garota, quieto, intimidado.

Via-se que Maria Luísa também estava nervosa, inquieta. O que ele queria dela? Que maluquice aquela de ele vir correndo pela rua, gritando seu nome? E, ainda por cima, agora, ficava quieto, parado à sua frente.

— Bem, eu queria dizer pra você que... — Renato começou finalmente a falar.

Tomando coragem, agarrou a mão dela e começou a dizer tudo o que sentia:

— Queria te dizer que gosto muito de você... Ou melhor, queria dizer que te amo... Que te acho a pessoa mais sensacional do mundo...

Espantada, Maria Luísa procurou livrar a mão, protestando:

— Desculpa, Renato, mas tenho que ir pra casa...

E ela começou a atravessar a rua. Ele foi atrás dela:

— Escuta, Maria Luísa. Por favor...

Ela parou, e ele disse:

— Já disse que gosto muito de você. O que você mais quer que eu diga? Ahn?

Como ela não respondesse e permanecesse parada, ele se ajoelhou:

— Tá bom, tá bom, eu digo uma coisa que nunca disse pra ninguém. Te adoro!

E disse isso de uma maneira tão dramática e ao mesmo tempo tão cômica, que Maria Luísa ficou mais relaxada e começou a rir.

— Do que você tá rindo? Não acredita no que eu disse? — protestou Renato.

— De nada, não, mas é melhor você se levantar, senão vai ser atropelado — ela rebateu, sem conseguir segurar o riso.

Ele deu de ombros.

— Não tô nem aí. Se você não disser que me ama, fico aqui e sou atropelado.

Maria Luísa deu outra risada e, por fim, disse, dando um suspiro:

— Tá bom, gosto de você.

— Só isso?

Ela olhou bem para Renato e chegou à conclusão de que ele tinha razão. Gostar era mesmo muito pouco. Isso porque descobria que o amava. Amava-o como nunca havia amado alguém na vida. Mas, como ela ainda temia usar a palavra amor, apenas perguntou:

— Se eu falar que gosto muito, muito de você, você promete que sai daí?

— Tá combinado. — Mais que depressa ele se levantou, perguntando: — E então?

— Então o quê?

— Não vai falar que gosta muito, muito de mim?

— Seu bobo — ela riu.

Começaram então a descer a rua, lado a lado. Não disseram nada, deixariam isso para depois, porque teriam muito o que falar daí por diante.

Simplesmente Renato pegou na mão de Maria Luísa. Ela, muito naturalmente, aproximou-se e encostou a cabeça em seu ombro. Ele teve um arrepio e sentiu um tipo de emoção diferente, que nunca havia sentido antes. Nem mesmo com as muitas garotas com que havia ficado.

Tomado daquela emoção que o impedia de falar, abraçou-a. E, assim, seguiram os dois pela rua, muito ternos, comovidos, ligados por aquele sentimento que faz que as pessoas se tornem muito mais humanas, muito melhores do que são...

Outros olhares sobre *O primo Basílio*

Depois de acompanhar Renato, dividido entre duas Luísas (a do Eça de Queirós e a colega de classe), conheça mais detalhes sobre O primo Basílio *e sobre outras obras que dialogam com o célebre romance português.*

Escândalo!

Apenas algumas semanas após ter sido lançado, no ano de 1878, o romance *O primo Basílio* já alcançava o significativo número de 3000 exemplares vendidos. Mas o que afinal teria atraído ao mesmo tempo o interesse do público e a condenação da crítica? Sim, porque tão logo veio à luz, foi imediatamente tachado de imoral e obsceno, graças à crueza e ao despudor com que eram narrados os arroubos sensuais de Luísa e de seu primo, recém-chegado do Brasil.

Em carta ao amigo escritor Teófilo Braga — parcialmente citada à página 149 deste livro — Eça de Queirós explicita sua intenção ao publicar o romance:

[...] *e você vendo-me tomar a família como assunto, pensa que eu não devia atacar esta instituição eterna, e devia voltar o meu instrumento de experimentação social contra os produtos transitórios, que se perpetuam além do momento que os justificou, e que de forças sociais passaram a ser empecilhos públicos. Perfeitamente: mas eu não ata-*

co a família, ataco a família lisboeta — a família lisboeta produto do namoro, reunião desagradável de egoísmos que se contradizem [...].

Estava-se, portanto, diante de um *romance de tese* (narrativa que pretende demonstrar uma ideia ou defender um ponto de vista). Anos antes, o romancista já chocara a opinião pública ao atacar frontalmente os representantes da Igreja Católica, denunciando-lhes os vícios, interesses escusos e práticas condenáveis, no livro *O crime do padre Amaro*, verdadeira obra de combate.

Agora, transitando do realismo (que defendera convictamente durante uma conferência no Cassino Lisbonense) para o naturalismo, detinha-se sobre um quadro doméstico e burguês, destacando os valores caducos, o tédio e a hipocrisia que o sustentavam e o emolduravam. Eça buscava, assim, conforme os preceitos naturalistas, divulgar os resultados conclusivos de sua meticulosa observação da realidade local, como dados de uma *experimentação* quase científica sobre o que considerava *empecilhos públicos* ao progresso, marcas permanentes de atraso.

Mas é justamente essa pretensão documental e emancipadora que limita o alcance artístico da obra. Sim, porque se Eça de Queirós adotava como modelo inspirador para o percurso de sua Luísa a história de Ema, protagonista do romance do francês Gustave Flaubert, *Madame Bovary*, não imitava, porém, um traço essencial de construção usado por seu antecessor: o aprofundamento psicológico das personagens, movidas por razões poderosas e profundas convicções íntimas, com o destino alterado por reais dramas de consciência. Ao contrário, por vezes as criaturas do português parecem ser a materialização exemplar de uma

© Divulgação

Gael García Bernal e Ana Cláudia Talancón em cena do filme *O crime do padre Amaro* (2002), de Carlos Carrera.

ideia ou *tese* prévia de quem escreve, carecendo de verdade, sendo apenas bonecos comandados por uma mente dominante e poderosa — a do autor.

Defeitos e méritos

O mais curioso é que o próprio Eça de Queirós, enquanto escrevia o romance, era seu maior crítico: ele mesmo já intuía (como comprova sua correspondência à época) que ali sobrava estilo (*límpido, transparente e preciso*), porém rareava o poder de conferir força e vida a suas personagens.

No Brasil, o já então reconhecido escritor Machado de Assis também registrará, causando calorosa polêmica intelectual, alguns desses defeitos do livro recém-publicado, acusando-o de ser artificial e imoral. Para o criador de *Helena* e *Iaiá Garcia*, romances ainda marcados pela herança do romantismo, a "Nova Escola" de Eça pecava por criar seres caricaturais, que não se movem pela vontade autônoma ou por valores *próprios*.

Gustave Flaubert, predecessor ilustre em cujo exemplo Eça quis se mirar.

De fato, tentando atender às exigências formais do movimento naturalista e, mais, testando os princípios racionalistas do positivismo e as teses deterministas de Taine (segundo as quais o sujeito é inevitavelmente um produto do meio, do momento histórico e da herança genética), Eça de Queirós constrói na verdade uma galeria de tipos, um amplo painel da sociedade urbana portuguesa no século XIX, com fim didático e moralizante.

Coerente com seus objetivos (estético e ideológico), o autor desenvolve a crítica social com humor fino e singular habilidade expressiva, erguendo um romance no qual é visível sua capacidade de reprodução quase fotográfica da realidade. Assumindo e ostentando o título e o papel de "artista vingador", ataca com ironia e destreza analítica as falsas bases da burguesia lusitana, apontando-lhe objetivamente suas pretensões e seu

Machado de Assis: um dos primeiros críticos do artificialismo queirosiano.

provincianismo, denunciando ainda os efeitos danosos da idealização romântica.

Por último, Eça confere lugar de destaque às reivindicações das classes menos favorecidas (representadas pelas personagens Julião e Juliana), problematizando, contudo, seus princípios, instrumentos e ambições.

O caráter documental do livro e a limpidez do estilo garantem, assim, o interesse renovado sobre a obra, convidando o leitor moderno a debater ideias fundamentais para a compreensão da atualidade.

No palco e nas telas

Logo o romance foi transposto para o teatro, ganhando montagens que também foram objeto de polêmica: a epidemia do "basilismo", afinal, alastrava-se. O livro foi posto à venda, em Lisboa, no mês de fevereiro de 1878; em maio, estreava no Rio de Janeiro uma peça cômica de um ato, livremente inspirada em *O primo Basílio*, escrita por Ferreira de Araújo.

No dia 4 de julho do mesmo ano, subia ao palco a primeira adaptação integral de fato, com cinco atos e nove quadros, de autoria de um jovem músico, Cardoso de Meneses, filho do Barão de Paranapiacaba. A atriz maranhense Apolônia Pinto era, assim, a primeira a viver seriamente em cena a atormentada Luísa. A montagem teve vida curta, com número reduzido de apresentações, mas foi o suficiente para ser impiedosamente criticada, considerada "um desastre", "um desacato literário" e "um atentado" ao talento do controvertido romancista português.

Se o descritivismo da obra de Eça de Queirós soa às vezes um tanto excessivo para o leitor contemporâneo, assim como a estrutura linear de suas tramas pode parecer hoje pouco moderna e arrojada, talvez sejam esses mesmos atributos os responsáveis pela atração exercida sobre cineastas, diretores e roteiristas de TV que têm aproveitado — e muito — o detalhismo pictórico e a destreza narrativa do romancista português. *Os Maias*, *Alves & cia*, *O crime do padre Amaro* e, sobretudo, *O primo Basílio* têm rendido várias adaptações para a linguagem visual, algumas delas de considerável qualidade.

A primeira adaptação cinematográfica de que se tem notícia data de 1922: um filme mudo de produção portuguesa e dirigido por Georges Pallu, trazendo Ângela Pinto como Juliana e Amélia Rey na pele de Luísa.

Cerca de uma década mais tarde, em 1934, surge a versão mexicana, sob adaptação e direção de Carlos de Nejera, com o galã Ramón Petreda em destaque.

Em 1988, o livro vira minissérie televisiva no Brasil, exibida em 16 capítulos pela Rede Globo, numa adaptação de Gilberto Braga e Leonor Basséres. A atmosfera da Lisboa de fins do século XIX é reconstituída graças à consultoria do cenógrafo português Antônio Casimiro, que acompanhou a gravação de algumas tomadas em Portugal. Giulia Gam encarnou Luísa; Tony Ramos, seu esposo, o engenheiro Jorge; Marcos Paulo, o jovem e sedutor Basílio. Mas, sem dúvida, o destaque da produção está na caracterização milimetricamente construída por Marília Pêra, que assumiu o desafio de representar a ressentida Juliana.

Divulgação © Osscar Cabral/Editora Abril

As atrizes Louise Cardoso e Marília Pêra, encarnando respectivamente as empregadas Joana e Juliana, na minissérie *O primo Basílio*, da Rede Globo (1988).

Caricaturas, charges e retratos

Também o humor e a ironia proverbiais do autor suscitam diálogos interessantes com outras artes. O romance que narra a história de Luísa, por exemplo, é motivo e tema de várias *charges*, caricaturas e de outros gêneros da arte gráfica, desde a época de seu lançamento, dentro e fora de Portugal. Muitas foram veiculadas no periódico brasileiro *O besouro*:

Juliana e Luísa no traço seco de Henrique Cayatte.

em uma delas, desenhada pelo português Rafael Bordalo Pinheiro, em 1878, um velho comendador é apresentado por sua esposa madame a um primo, o Quincas, o qual "volta de Paris", com roupas elegantes e afetação nos trejeitos.

O mesmo desenhista, aproveitando a polêmica criada pela publicação da crítica de Machado de Assis ao livro português, produz outra *charge*, intitulada "Literalogia", na qual faz referência direta à protagonista do recém-lançado romance do célebre autor brasileiro, *Iaiá Garcia*.

As figuras de Luísa e da empregada Juliana recebem tratamento mais moderno nas mãos de Henrique Cayatte: se os traços não condizem muito com a descrição oferecida no livro, entretanto, os desenhos ganham significado pela ausência de profundidade e perspectiva, apresentando-se de forma *chapada*, como mera superfície, sugestivo recurso visual, com efeito expressivo importante na aproximação aos *tipos* queirosianos.

Eça e a música

Em *O primo Basílio* são inúmeras as referências musicais. Para caracterizar o ambiente sociocultural de Lisboa na segunda metade do século XIX, Eça de Queirós com frequência flagra as personagens cantarolando e ouvindo canções em casa ou assistindo a óperas. Mas tais citações não têm mera função documental; funcionam, ao contrário, como verdadeiros *intertextos*, conferindo novas dimensões à caracterização das personagens e ao desenvolvimento da intriga. É o que ocorre, sobretudo, com a *Traviata* (1853), de Verdi, e o *Fausto* (1859), de Gounod.

Se o romance de Eça busca inspiração em óperas e canções de época, inversamente, a música popular também pode dialogar com a produção do escritor português. Em 2000, a cantora brasileira Marisa Monte convidou o poeta e músico Arnal-

© Frederic Jean/Editora Abril

Arnaldo Antunes: voz grossa para os êxtases amorosos de Luísa.

do Antunes a participar de seu CD *Memórias, crônicas e declarações de amor* lendo um trecho de *O primo Basílio*. O timbre grave da voz de Antunes contrasta com o tom confessional da letra da canção, acentuado pela melodia de Carlinhos Brown e pela interpretação suave de Marisa.

A compositora aposta no clichê romântico para descrever a sensação física ("Meu peito agora dispara") e o estado emocional alterado ("Vivo em constante alegria") de alguém que vislumbra e anuncia a presença e o domínio da paixão: "Amor, I love you..." (verso do refrão e título da música). No encarte, uma montagem fotográfica flagra a artista lendo uma edição do romance português. De qualquer modo, a imensidade de adaptações ocorridas num arco de tempo tão largo e a capacidade de gerar leituras em campos tão diversos (do teatro à MPB, passando pela *charge* e pela televisão) não fazem senão confirmar a importância do romance, bem como a atualidade das questões mobilizadas por Eça de Queirós nesse marco do realismo português que é *O primo Basílio*.